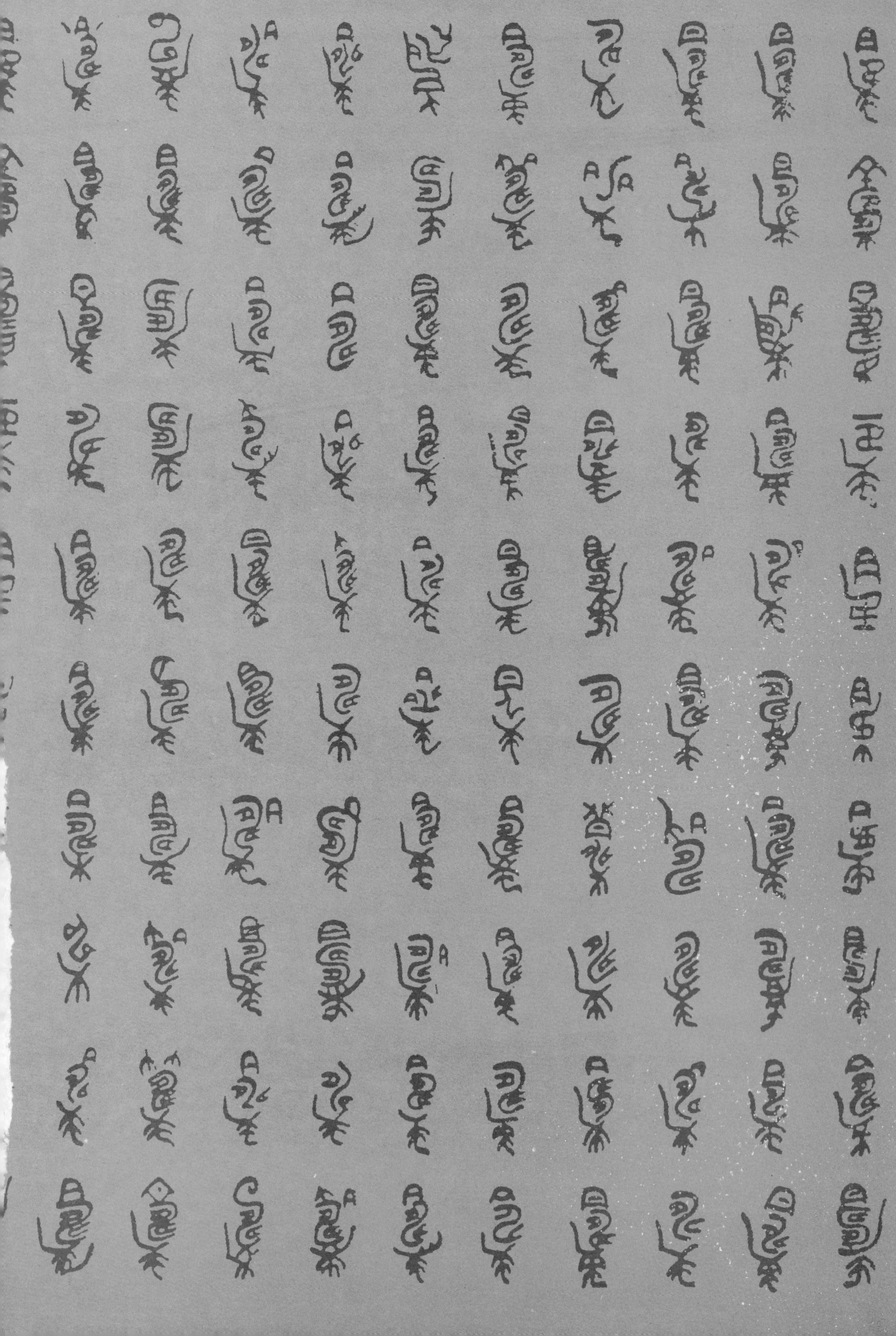

蔣一安珍藏

古印窺

楚州宋專拓本

松嶺逸叟自署

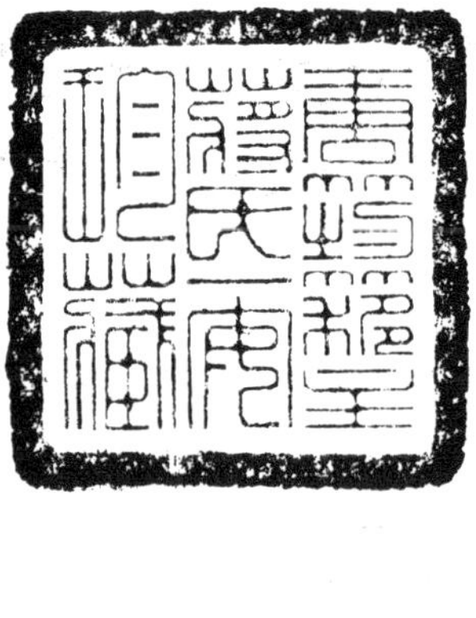

古印窺・楚州宋專拓本

珍藏者：蔣 一 安
出版者：文史哲出版社
登記證字號：行政院新聞局局版臺業字五三三七號
發行人：彭 正 雄
發行所：文史哲出版社
印刷者：文史哲出版社
台北市羅斯福路一段七十二巷四號
郵撥〇五一二八八一二彭正雄帳戶
電話：三 五 一 一 〇 二 八
實價新台幣四五〇元

中華民國八十二年元月初版

ISBN 957-547-188-1

古印窺・楚州宋專拓本 目錄

楚州宋事

孔德成

銀城讀碑

丙申二月廿二日

伯斧先生屬　羅振玉

一安老弟雅正
集獵碣文字
焉
又愚

序

金石之學自宋始盛歐陽公著集古錄劉原父識古文奇字且曾著先秦古器圖呂大臨著考古圖王黼之宣和博古圖薛尚功之鐘鼎款識趙明誠之金石錄皆重視三代彝鼎以爲可補史之闕文其後寖然甚久至有清一代地致奇瑞器物漸出內府收藏尤富於是乾隆有西清古鑑之纂然其釋文輒多舛誤毛伯敦即其一例也稍後揚州阮氏以其自藏及所見之彝器銘文拓本薈萃成編成積古齋鐘鼎款識得五百六十餘器較薛尚功之四百九十二器已逾越爲多當時已稱繁富至同光以後出土愈多歷可指數而名家藏器如吳縣潘氏吳氏濰縣陳氏等擁廣居

學官利用金文存並時藏家約得六七十氏降及民初爲數更
繁吳縣蔣氏即其一也余於金石文字幼而嗜之來臺以後始寫
金文然以治學迫促覩其姿態未深考其出土之經過收藏之遞
嬗與夫文字與史料之關係前年秋故宮博物院舉辦古物清
點余濫竽其事得盡觀佳刻精槧古玉名瓷而于三代吉金尤三
致意焉故宮博物院及中央博物院所藏吉金總數共爲一千九百餘
事洋洋大觀而有銘文者如毛公鼎散氏盤等名器皆列在內洵乎其
觀止也今年中華詩學研究所有修禊之集遂安蔣先生攜其家
藏龜甲金石拓本一冊參展其中吉金部份七十餘件皆精品精
拓其中且有劉鐵雲羅振玉手拓之件若神光四射珍貴無比

張[illegible]手寫

逸安以余於此稍窺門徑因就余商刊布之方因以影本抵
余細閱竊數日之力除龜甲外吉金之屬為勘校他書得知
器名者凡得三十件事其餘識其文字未能證其器名者為
有近半竊思古器物品除鼎彝尊匜等多具定形可以確
定外其名稱大抵根據其中文字人名地名而定同一器物多考
古家定名或有不同是以校核為難且當初裝潢之際未加批
列考其年次注其名稱以及出土情形今則未遑寫勘因言於
逸安除每項拓本予以編號外仍依原存次序影印冊俾於
古器精拓長傳後世將來由治古文字學者為之一一疏通考證
其有功于學術至鉅也此外尚有漢錢笵及泉布之屬數十事

飛鵬手寫

銅鏡兵器之屬十餘事皆有文字皆極精美又有羅叔言題唐造象拓本二種瓦魏志額二漢磚一封泥三皆名家手拓精品又楚州宋磚數十事宋磚本非特奇然其文字多為楷書而古樸異常可與宋鏤善本相埒將來篆刻家之發展不能不以古文字為體若欲變化將必出於斯途其嚴整蒼勁之致尤可嘉焉蔣氏三世從事於此乃祖敬臣公世父伯斧先生以逮逸安皆嗜古善鑒數十年來兩經戰亂里居文物蕩失殆盡逸安爾足萬里幸能保此精拓仍使揚輝于世且垂久遠亦可謂孝矣又蔣氏舊藏有白麻紙唐寫本唐韻殘卷四十四葉實稀世之珍伯斧先生既有跋語及札記逸安繩承先志復擬刊

謬補闕一書並節刊其導言與唐說芳合為一卷附刊於後蔣氏
世寶精要者概已具載衒諸當世殊妙頡頏數十年來故家鉅
室毀失殆盡兵塵呼吸波濤震慄而有此一集傳世良乎難矣
中華民國八十一年歲次壬申仲夏之月下澣
常熟李猷書於臺員之紅豆樓

一女封授世藏古印窺
付梓為此傳
秦斯篆邈並泥封
金石文叢古趣濃
鐫之光芒存印史
一編宏啟九州從
陳蓮子

卷首語

余籍隸古吳寄居淮安耕讀傳家藏書自多遜清開館編纂四庫全書時　太高伯祖曉緣公諱曾瑩進呈藏書百餘種得拜內府初印佩文韻府之賜領到發還原進之職官分紀書端蒙清高宗製詩褒獎其文曰

進書一百種以上之江蘇周厚堉蔣曾瑩浙江吳玉墀孫仰曾汪汝瑮及朝紳中黃登賢紀昀勵守謙汪如藻等亦俱藏書舊家并著各人賞給內府初印佩文韻府各一部俾亦珍為世寶以示嘉獎

發還之書篇首鈐有翰林院印載明年月姓名於面葉原進職官分紀簡端高宗製詩曰

立政為人義豈磨　股肱喜起勅幾歌
古今制異難沿襲　襄贊職同在協和
經史列編無不備　僄湘獨弃有堪多
雙松書屋東皋隱　弗出對敭又以何

詩中雙松書屋暨東皋隱為我家書齋名進呈書籍中鈐此二印為識故詩中言及此詩高宗必以為得意之作嘗親書於文淵閣屏風上

先高祖芙卿公諱元甄備官京曹曾獲瞻仰

承賜佩文韵府度藏雙松書屋洪楊之役蘇州城陷　先伯曾祖英
亭公爲護書而身殉此書　先曾祖崧生公諱錫寶於任淮安府學教
諭時攜之北來建抱布新築以藏之余童年曾悉此書被竊旋又追回
終於抗日戰爭中付諸劫灰惜哉
先大父敬臣公諱清翊宦遊歸隱著唐初四傑集註等十餘種平生
嗜古成癖搜訪文物甚多珍藏周鐘漢鏡唐碑宋專於此新築中惜於
兩次無情戰火全付劫灰
　余捨棄家財寶藏藺足萬里半世紀流浪生活天涯海隅東徙西遷
四次散失書籍文物獨保斷簡殘篇片紙隻字藏諸篋底視同瑰寶已
毋國變浮桴來臺方稍安寧
　壬戌秋仲檢視行篋殘存黽甲金石鉩印錢范封泥虎符暨唐五代
造象楚州宋專拓本若干幀委請名匠裝潢精裱得三函另將鉩印集
爲一册題曰古印窺嗜痂成癖者無不歎促刊布余亦有意於斯
　辛未歲末國民大會代表退職主席團主席及憲政論壇月刊發行
人職務隨而卸下仔肩得稍清閑中華學術院詩學研究所副所長李
公嘉有師範大學吳教授仲寶仁弟僉爲當代名流學人嗜古善鑑經
其指導惠助乃將三代黽甲金石唐五代造象拓片唐人手寫本唐韻

殘卷宋專拓本及古印窺分類編次委請文史哲出版社彭發行人正雄兄精印發行一曰三代吉金漢唐樂石拓存一曰古印窺楚州宋專拓本名器精拓得以其殘影散輝於世永垂久遠誰曰不宜何必私藏囊篋任其漫漶滅失哉

中華民國八十一大暑松嶺逸叟蔣一安識於唐韻簃時年七九初度

瞻岱門遺影

楚州迎薰樓遺影

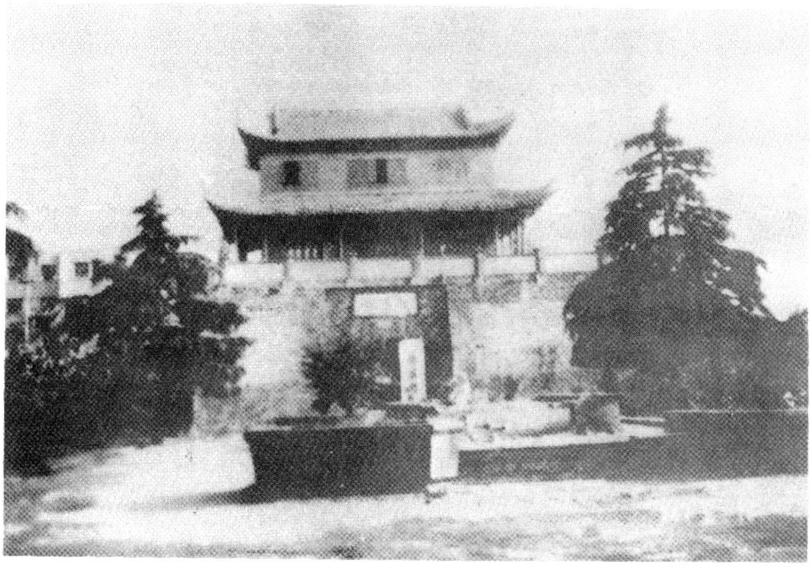

楚州鼓樓景觀

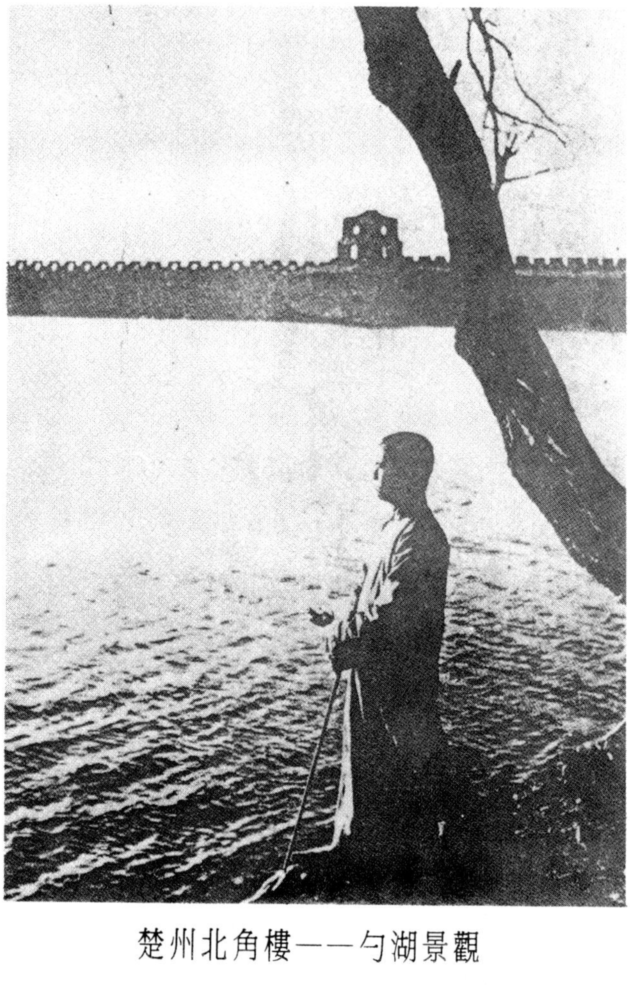

楚州北角樓——匀湖景觀

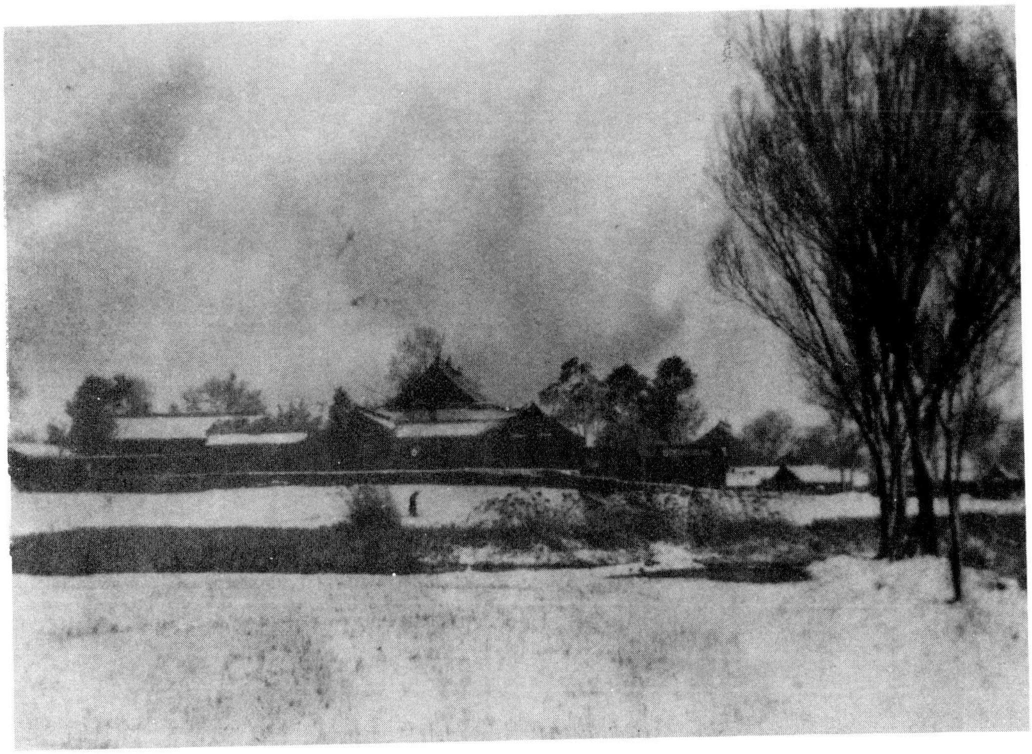

由蔣氏半畝園遠眺呂祖殿雪景

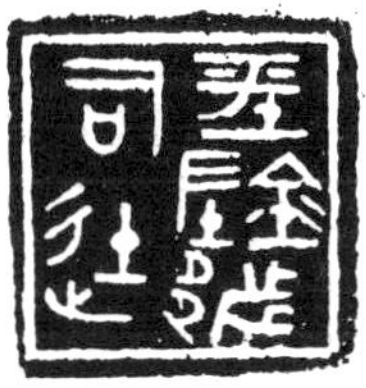

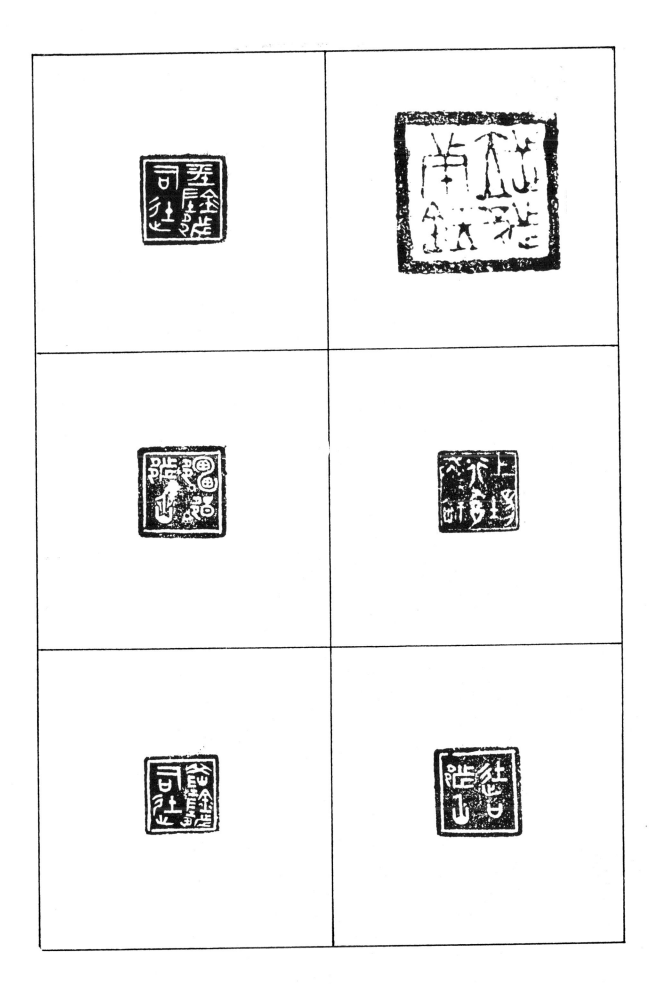

拓呈
敬白先生政字
石齋記於龍垣
權舍時丁未夏

周鉨真景
癸未四月拓似
敬白先生清鑒
石齋

銀印龜紐
劉鑄雲藏

癸未五月購於吳門共賞齋
賣印人戴蒙隣云是雲中
印歸來跋之
敬吾先生云是後漢匈奴官名
廿四日石查拓記

漢玉印龜鈕血沁
金明齋藏

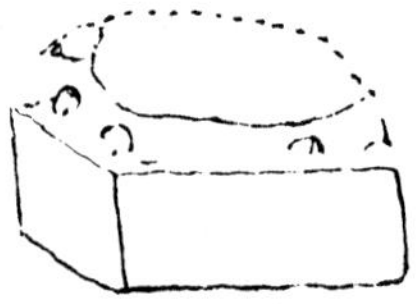

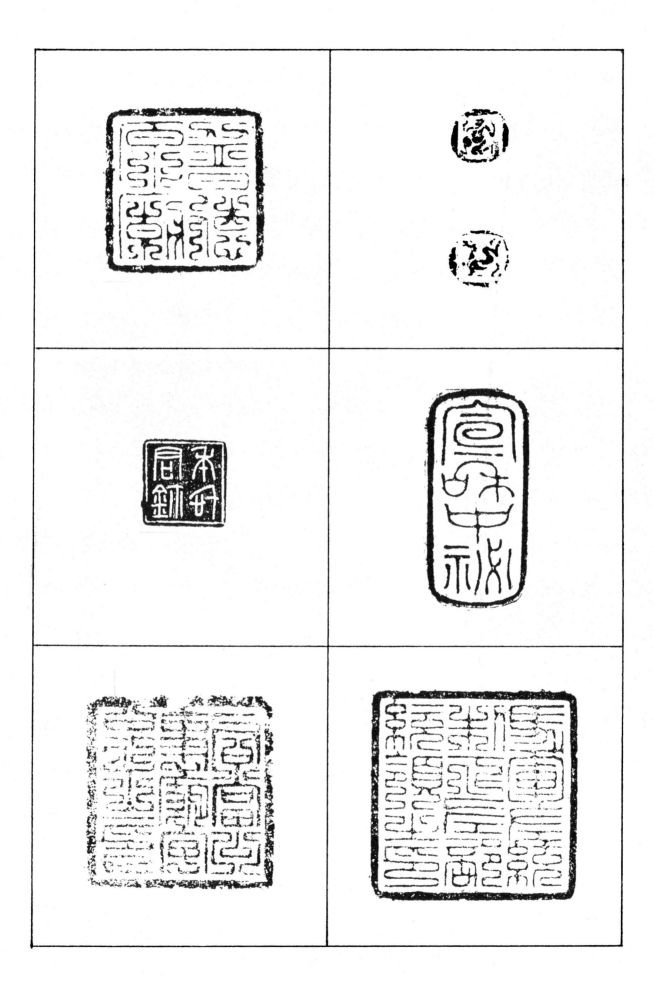

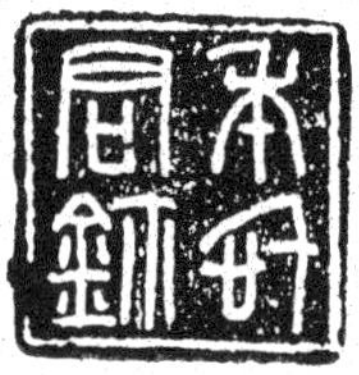

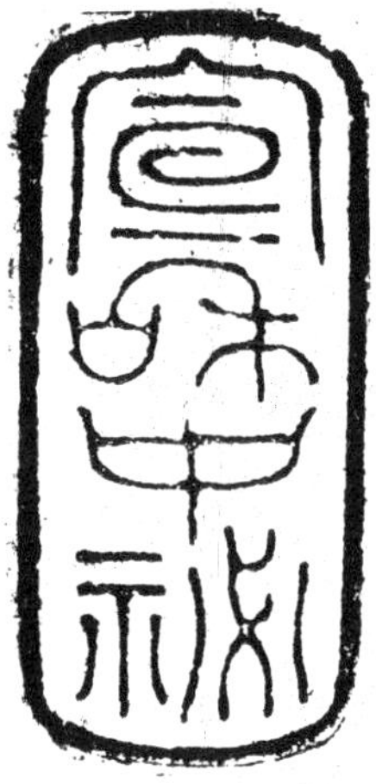

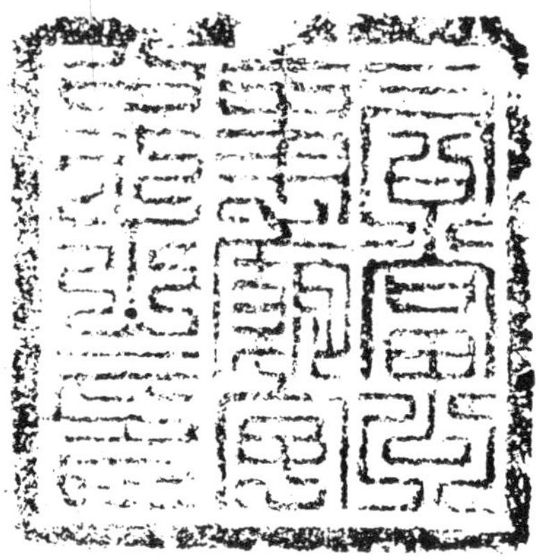

晉書桓彝傳字茂倫少孤貧虛己宴如性通朗早獲盛名雅
為周顗所重顗嘗歎曰茂倫嶔崎歷落固可笑人也明帝
伐王敦拜散騎常侍引參密謀敦平封萬寧縣男補宣城內史
有惠政以蘇峻之亂固守經年城陷被害追贈廷尉謚曰簡彝與郭
璞善嘗令璞筮卦成璞以手壞之曰卦與吾同丈夫當此非命如何
此印為吾友羅君叔言所藏乃白玉革帶印玉色溫潤文字遠
邁漢人之茂美並古拙之致絕類六朝人碑額丁未元日記

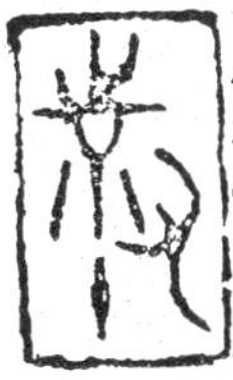

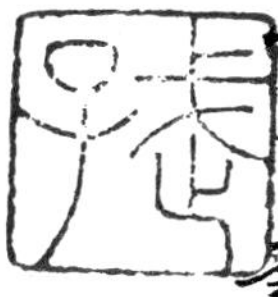

秣川宋惠祖本

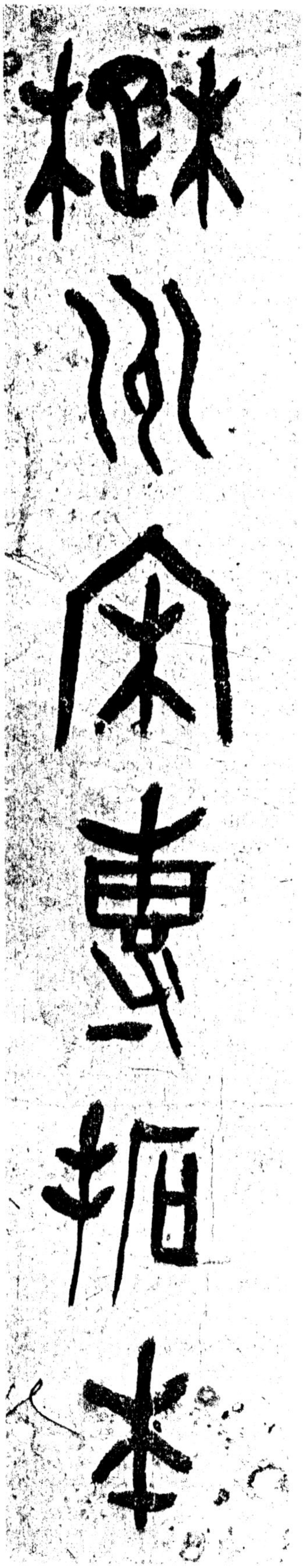

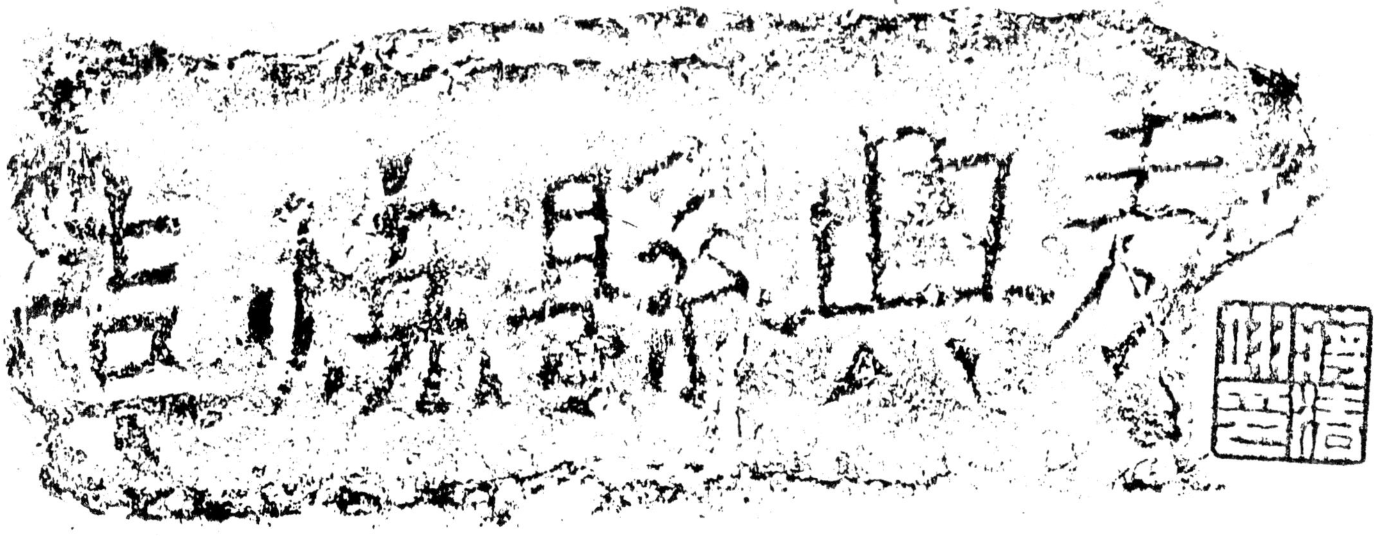

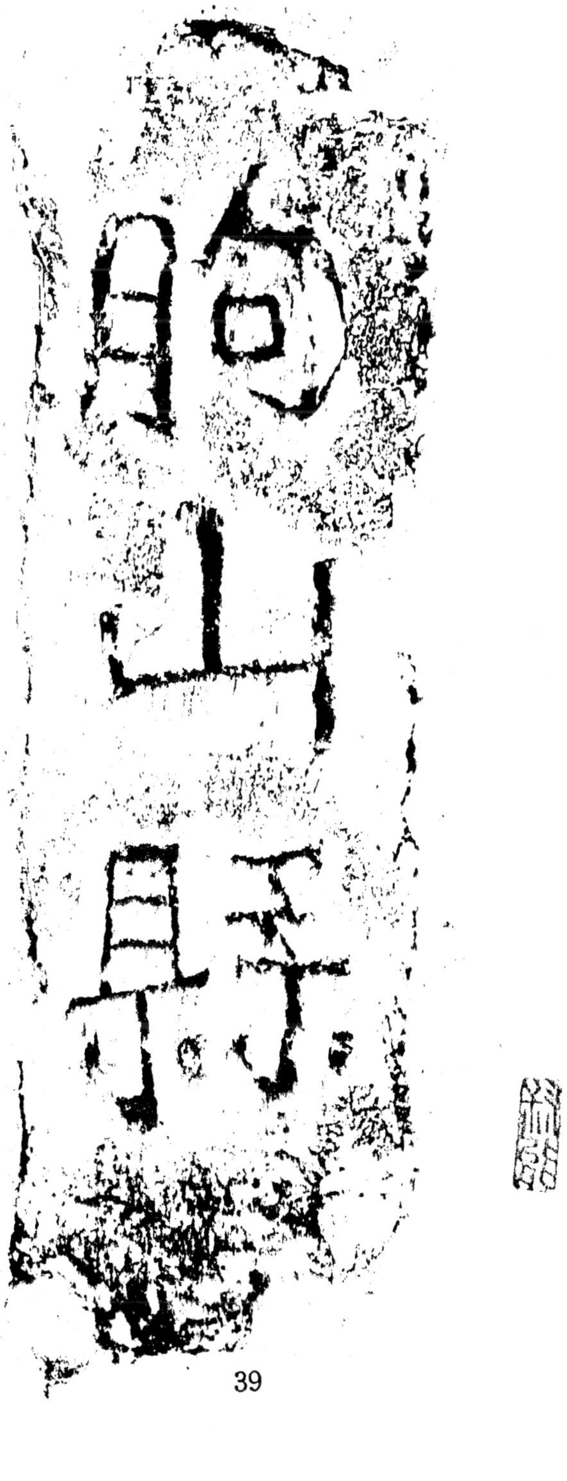

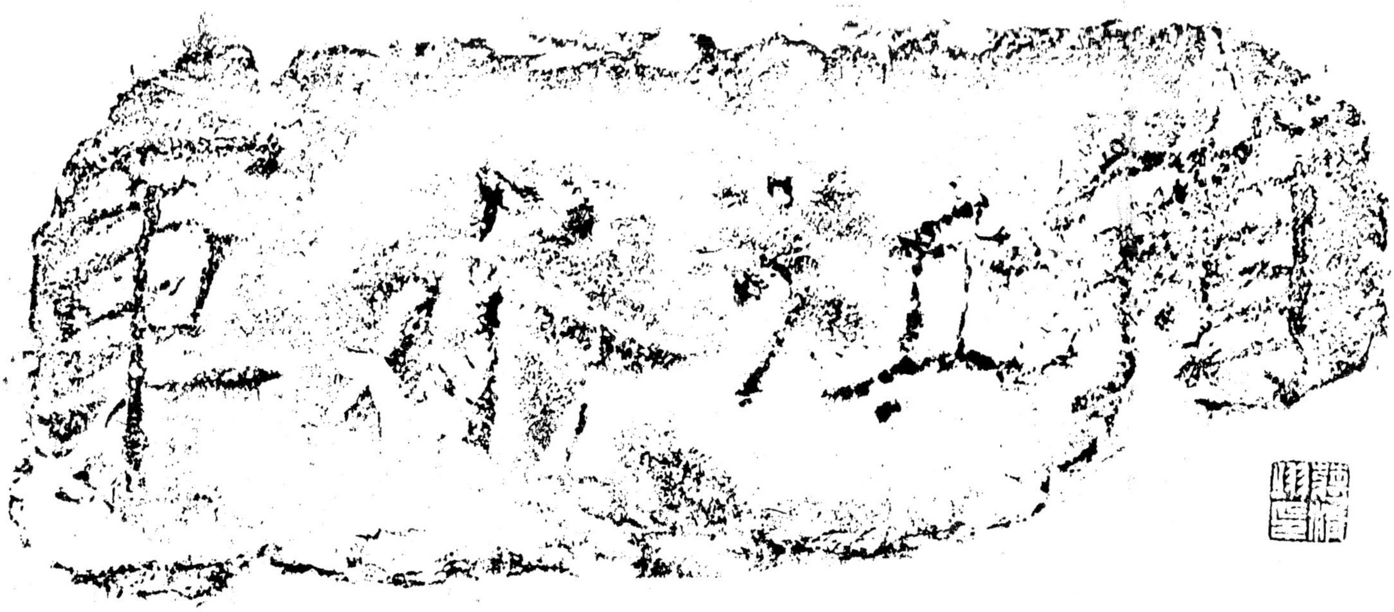

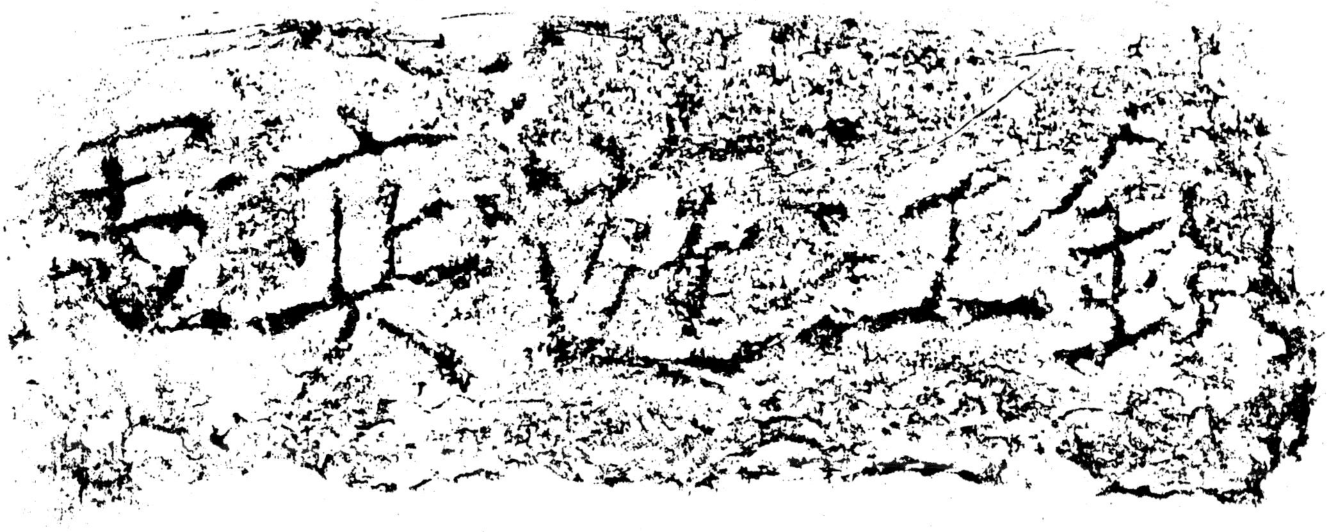

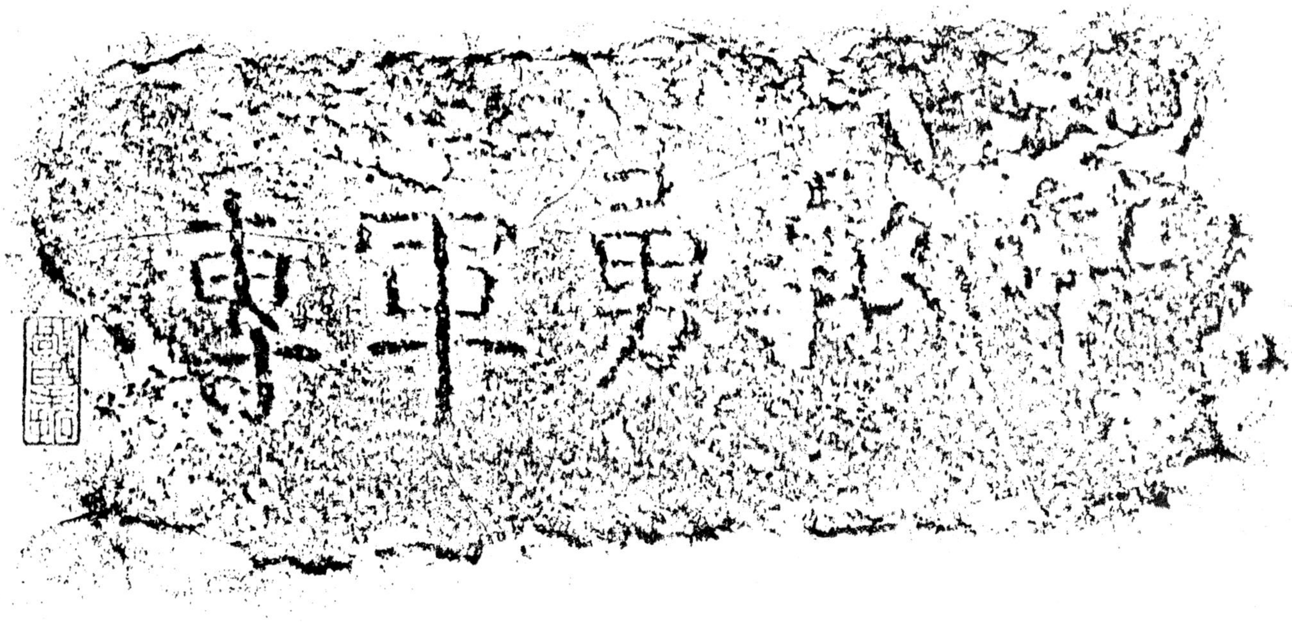

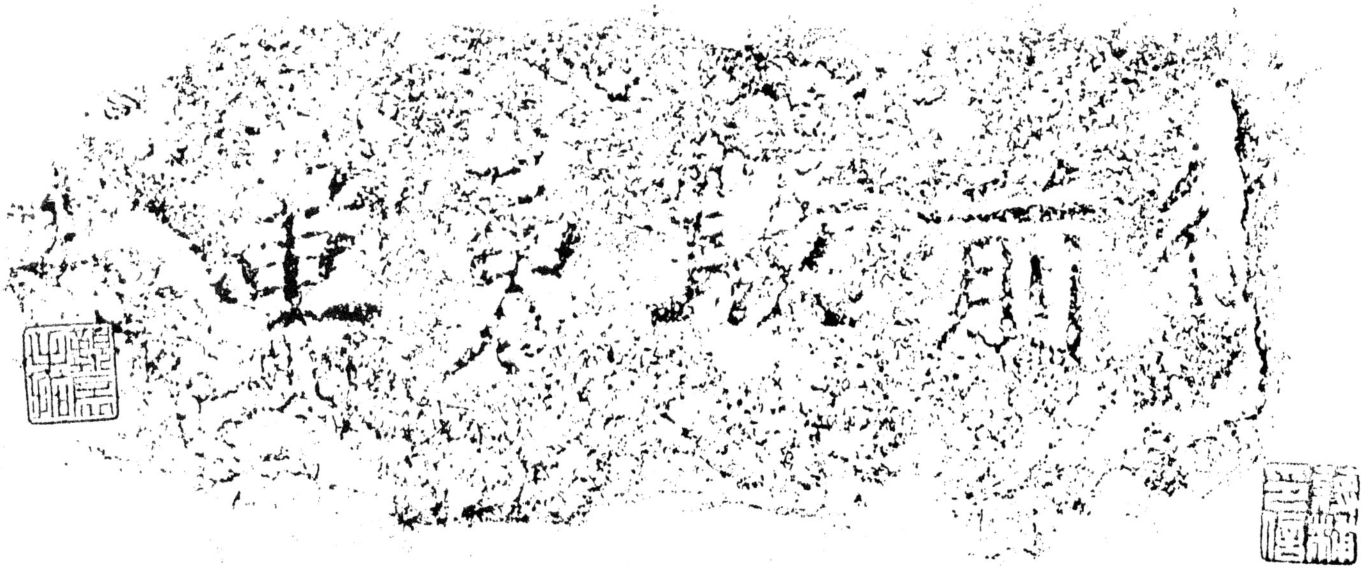

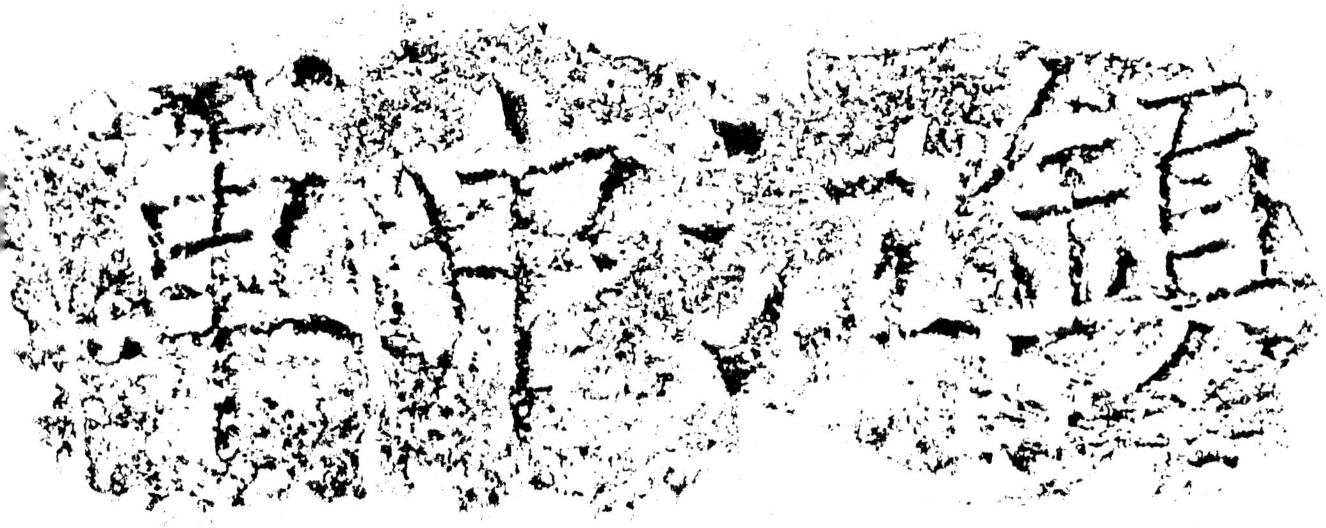

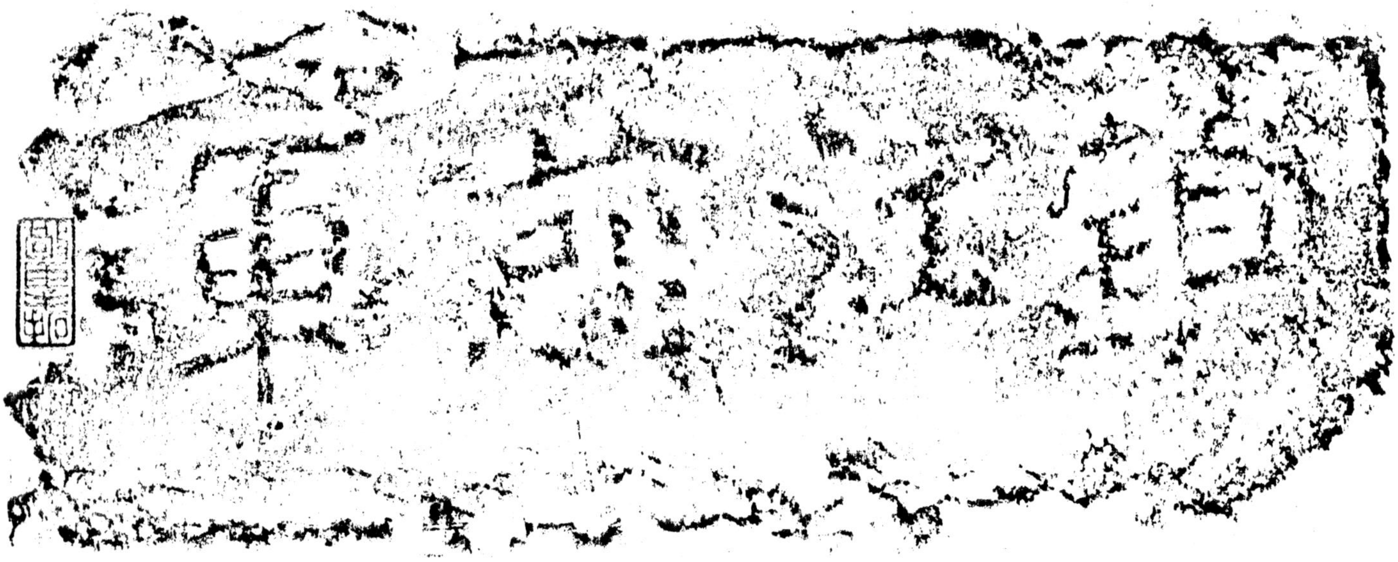

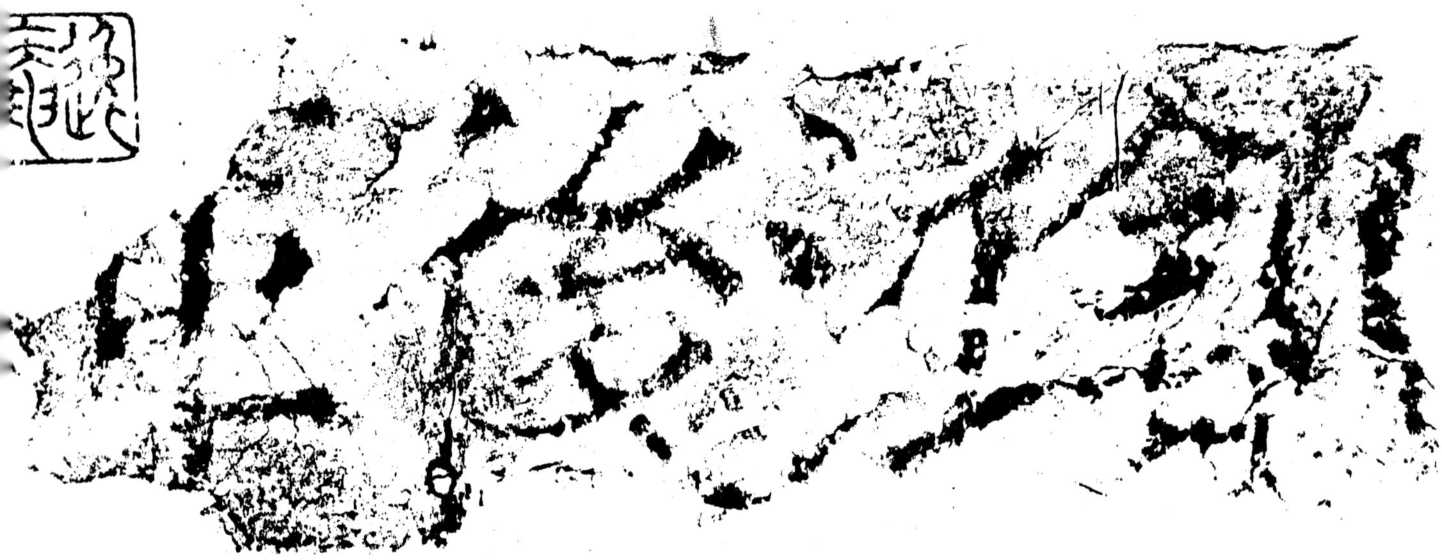

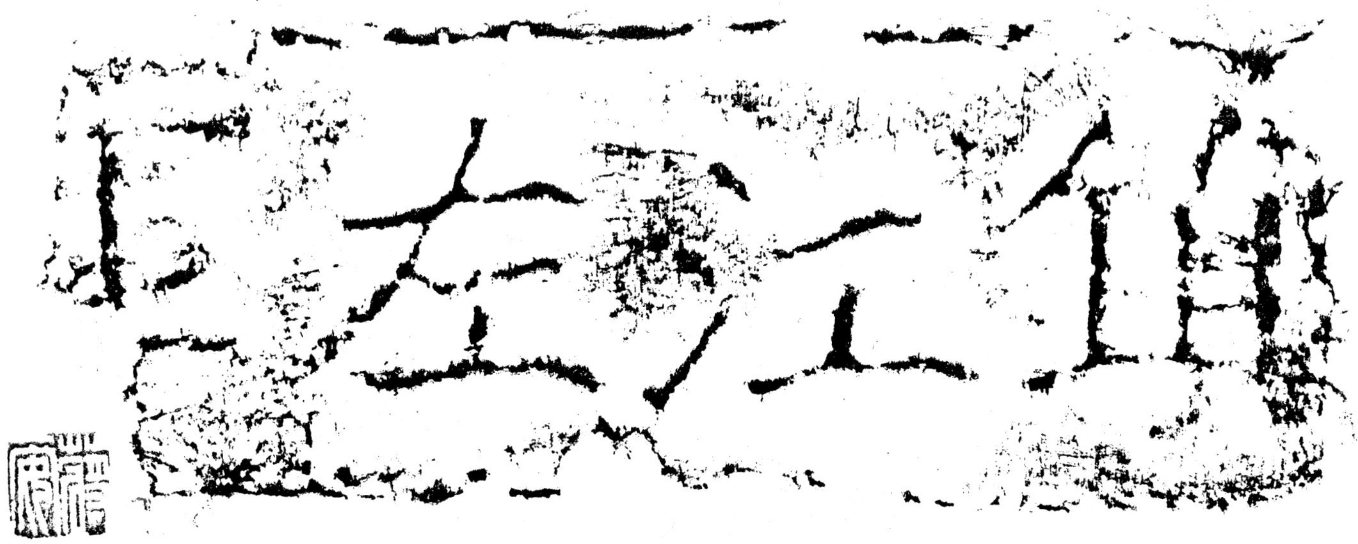

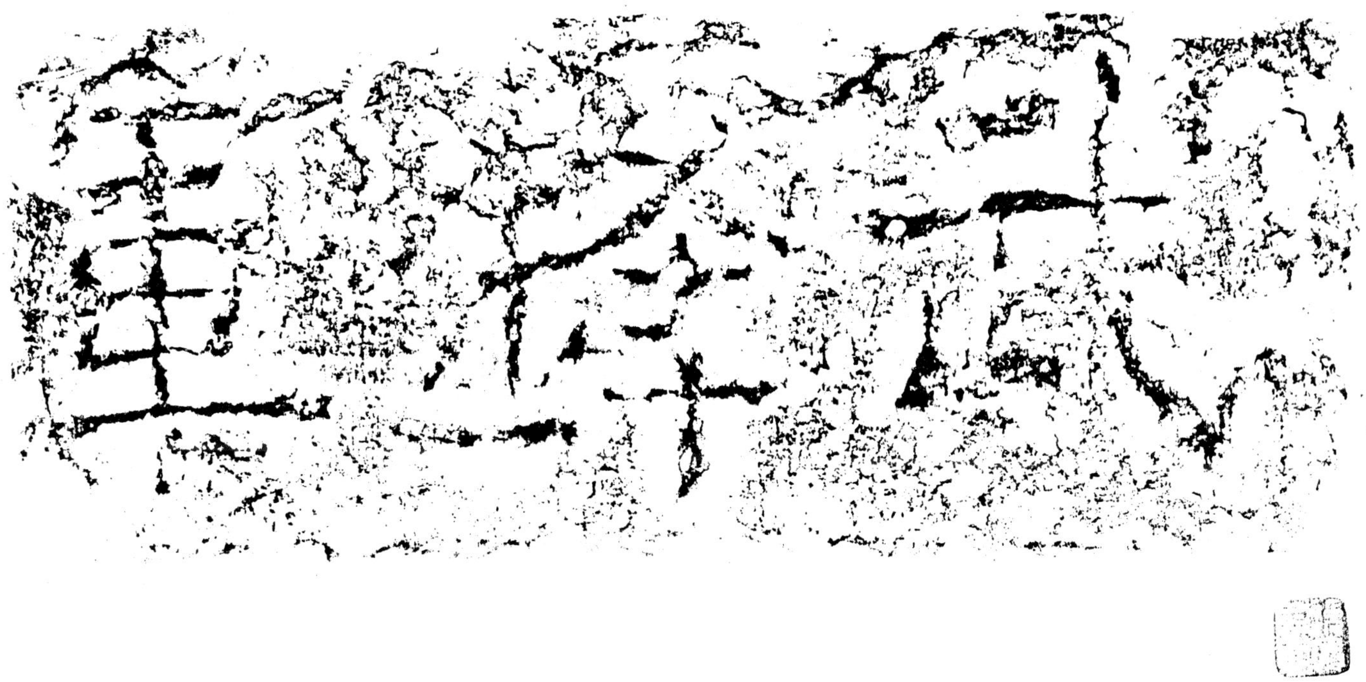

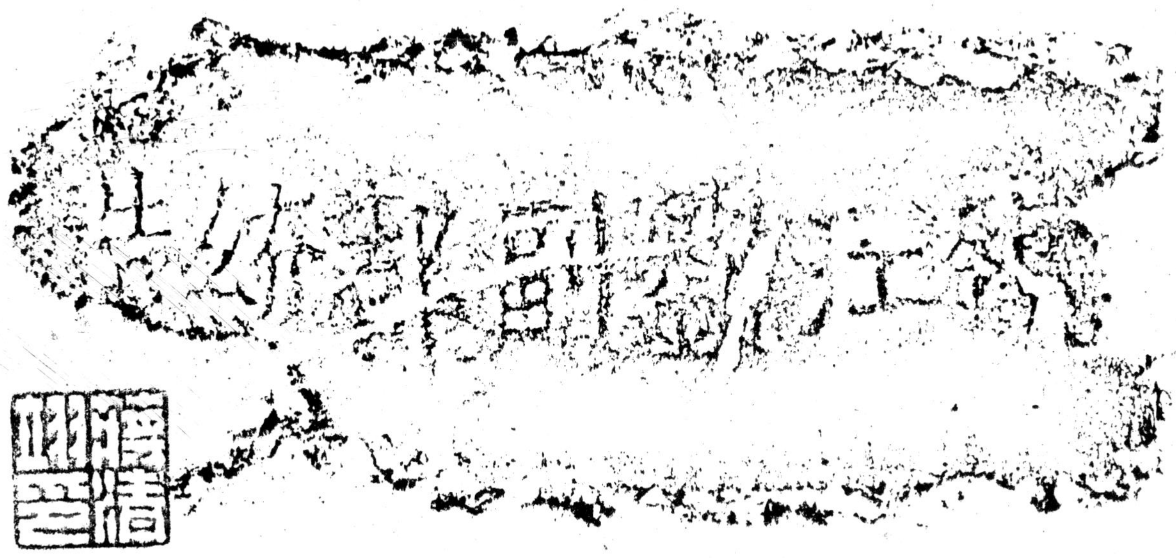

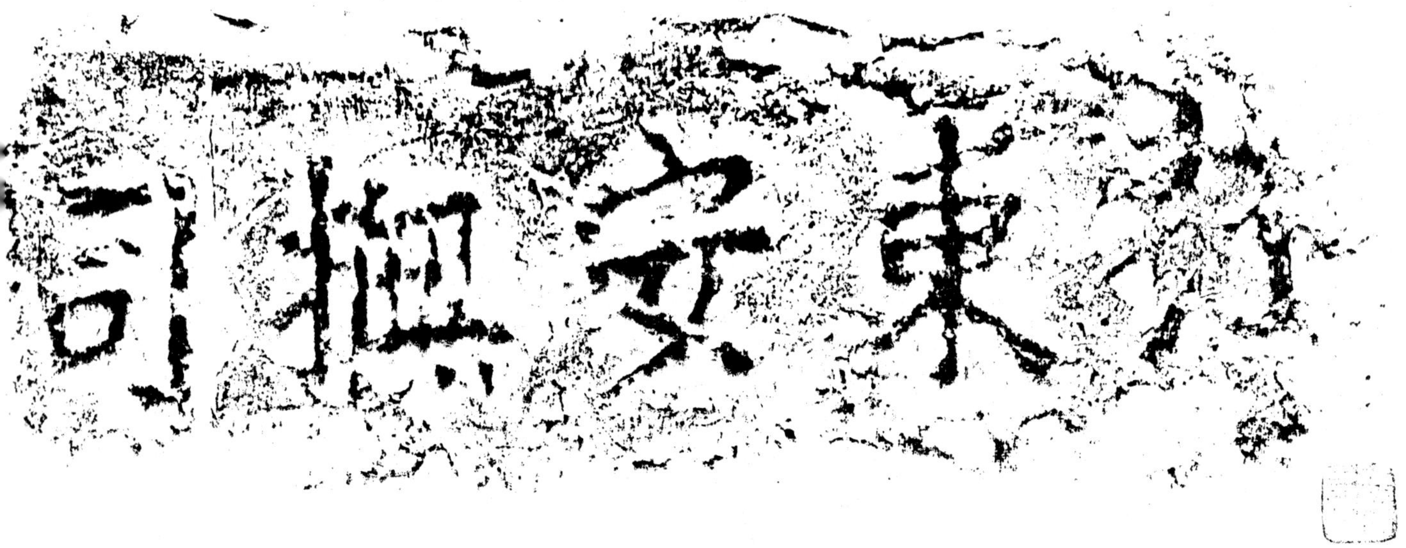

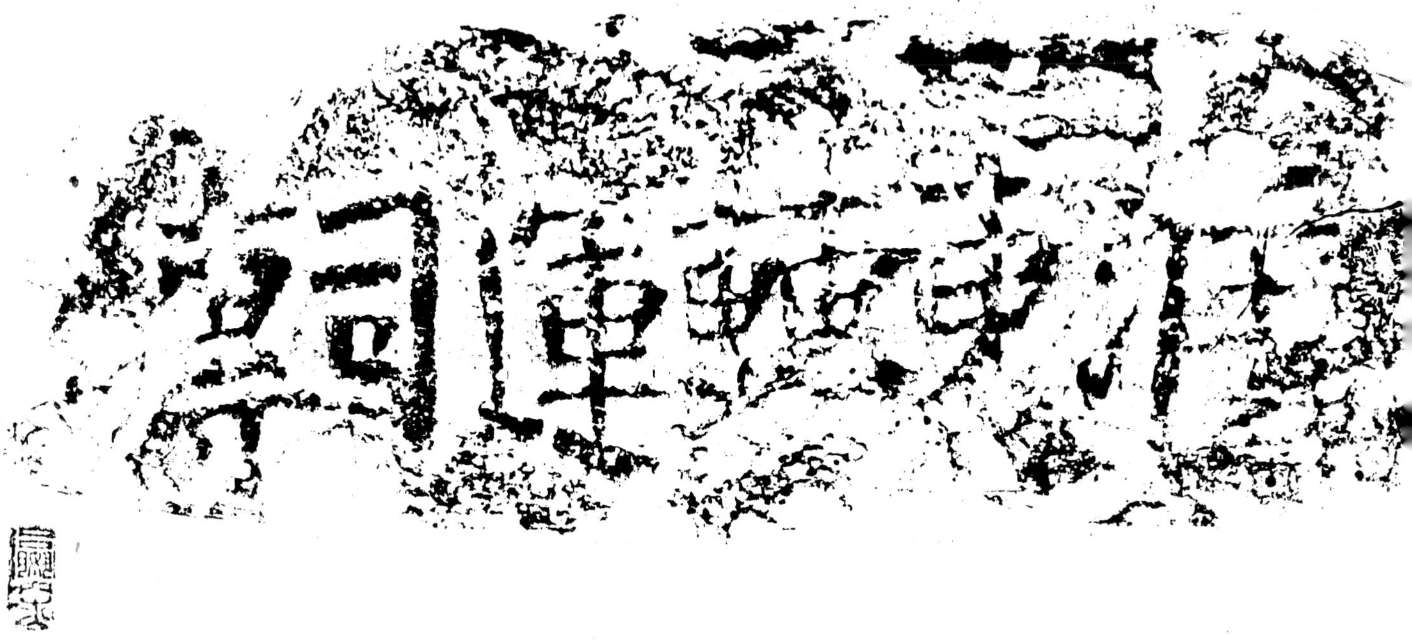

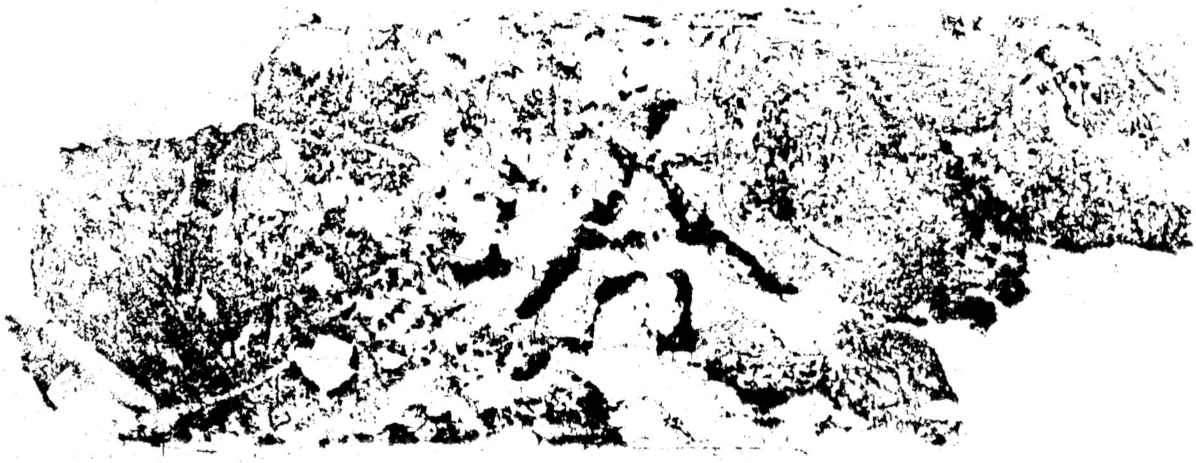

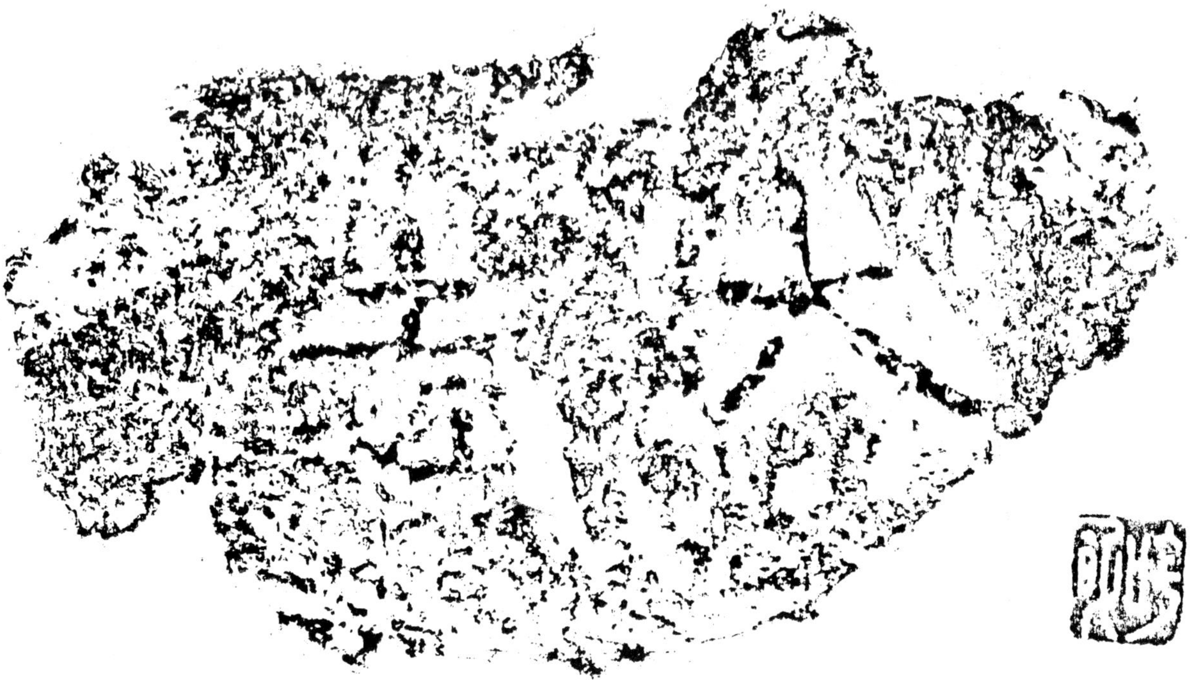

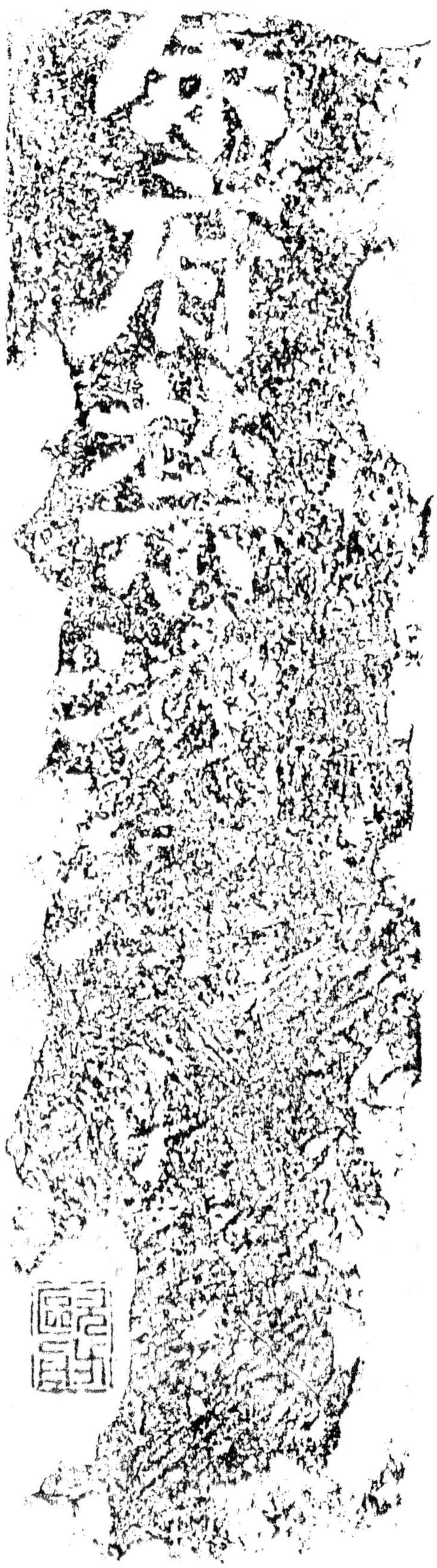

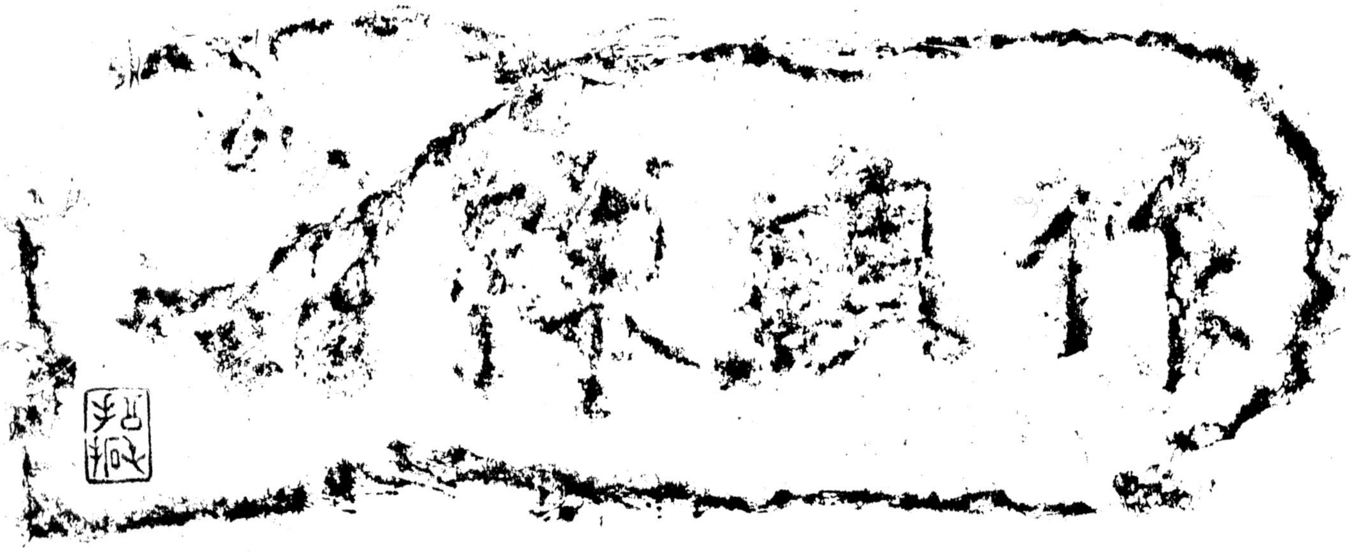

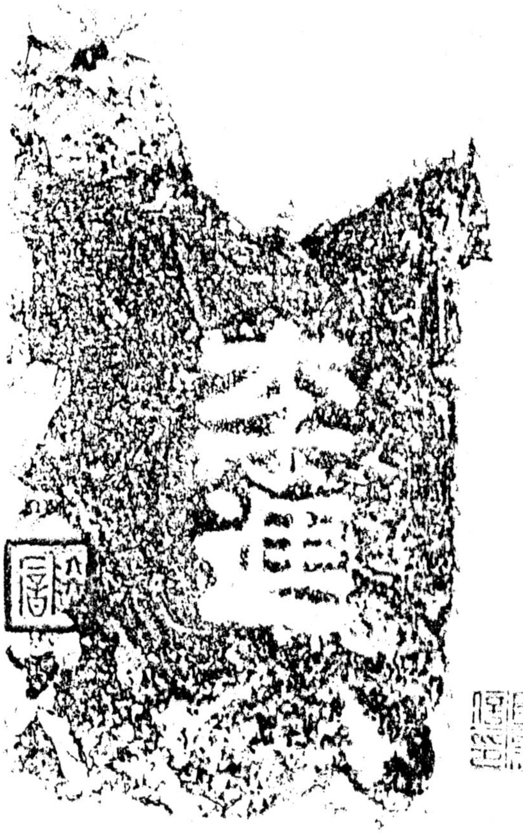

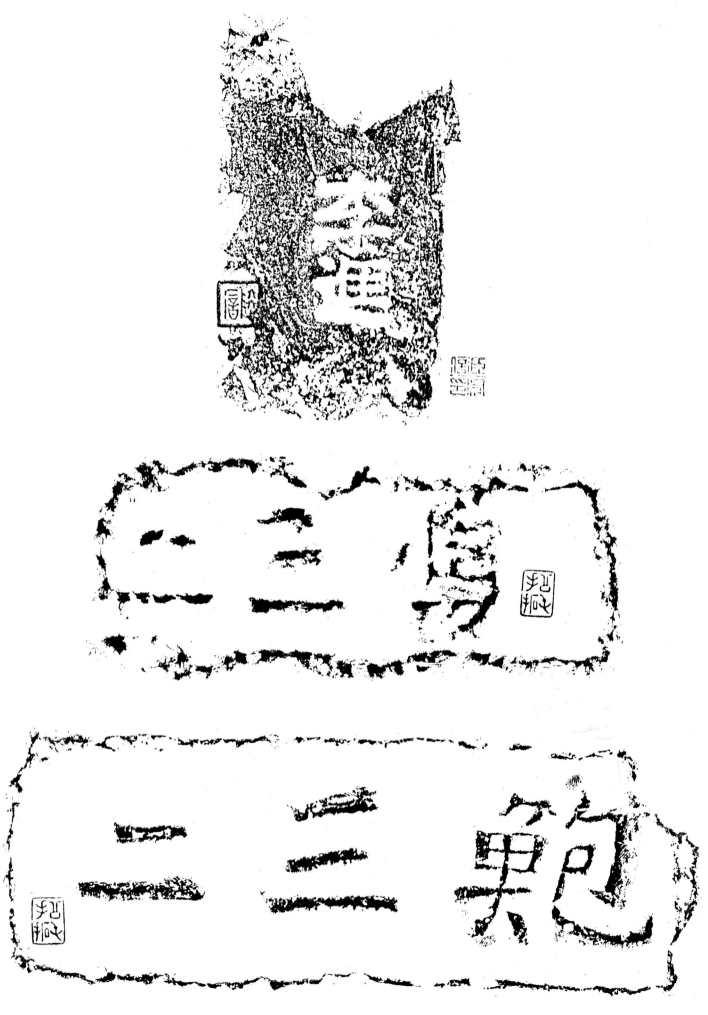

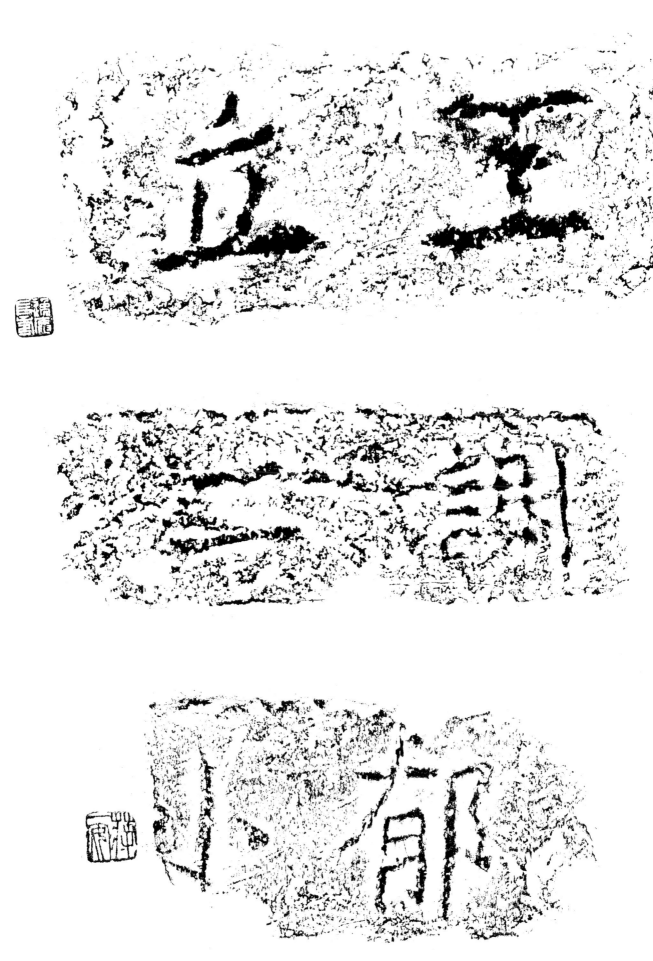

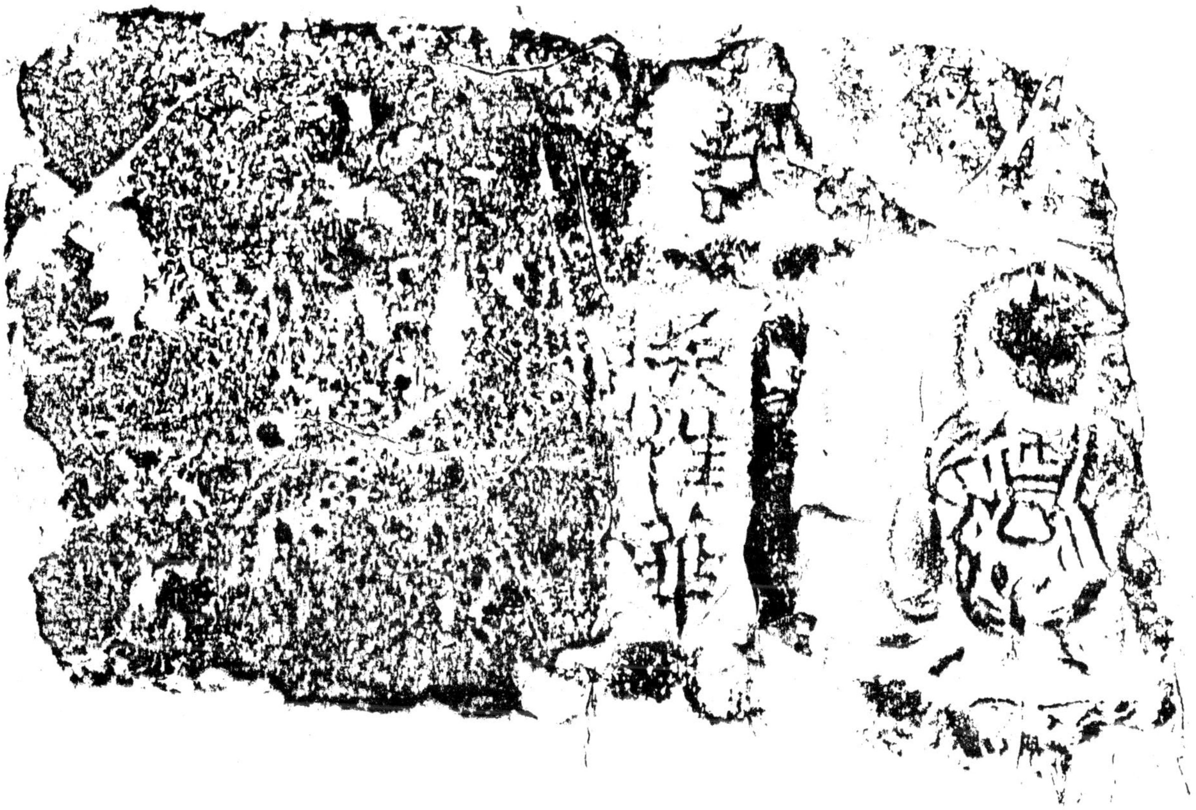

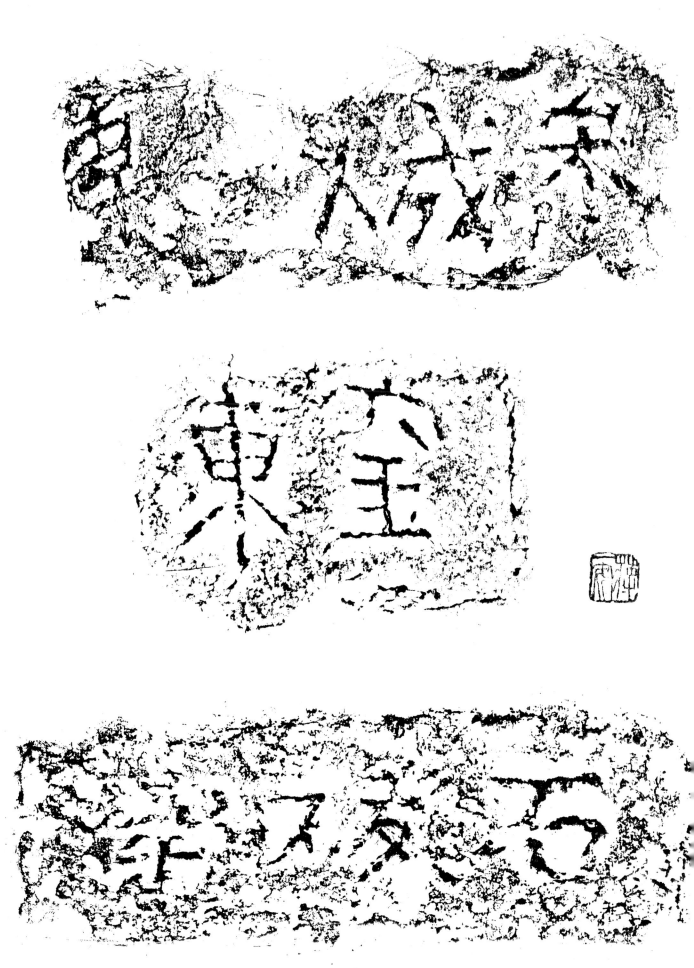

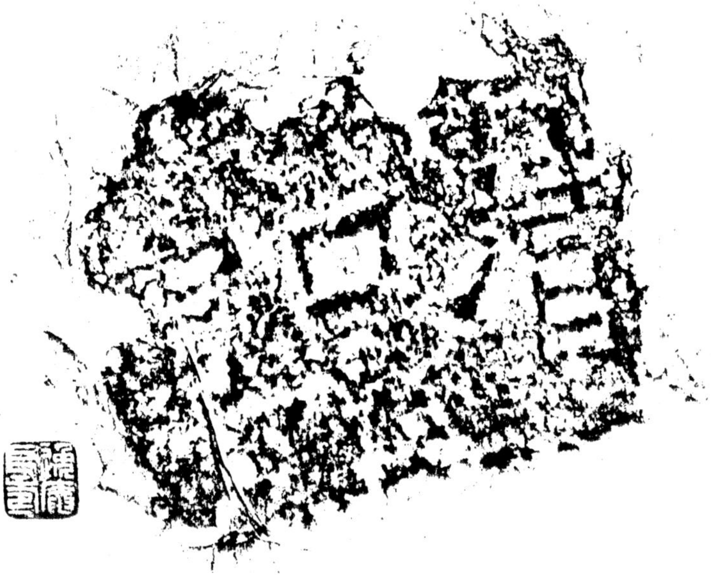

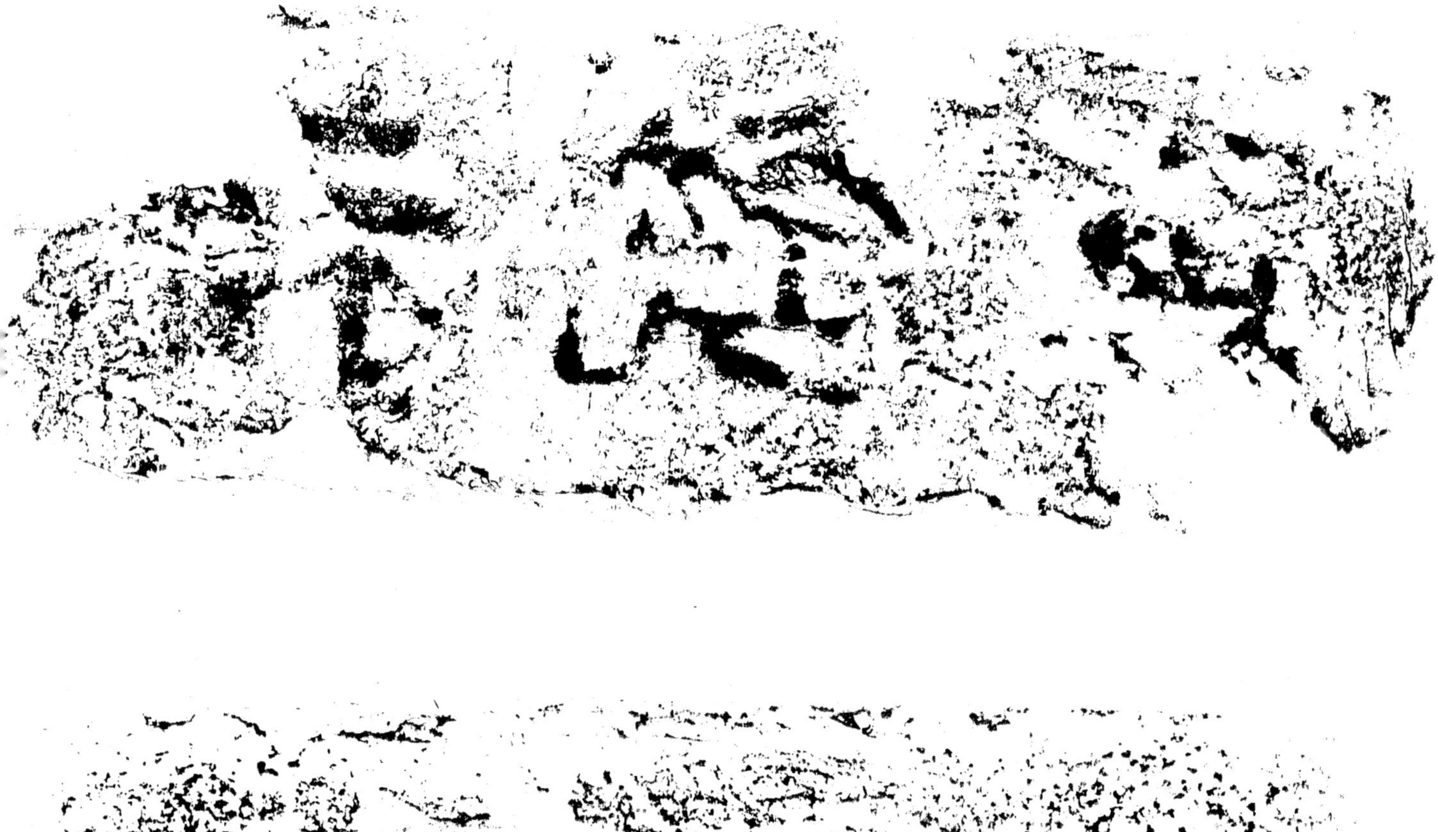

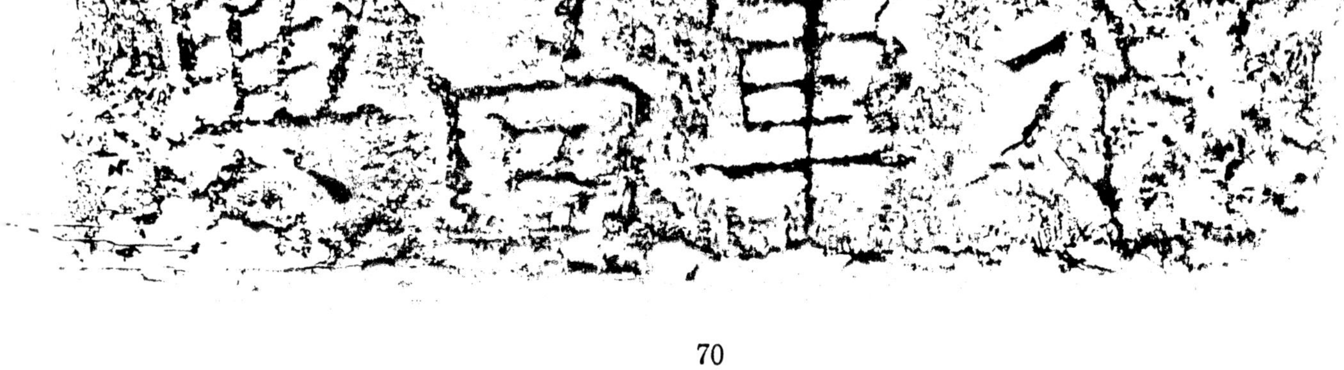

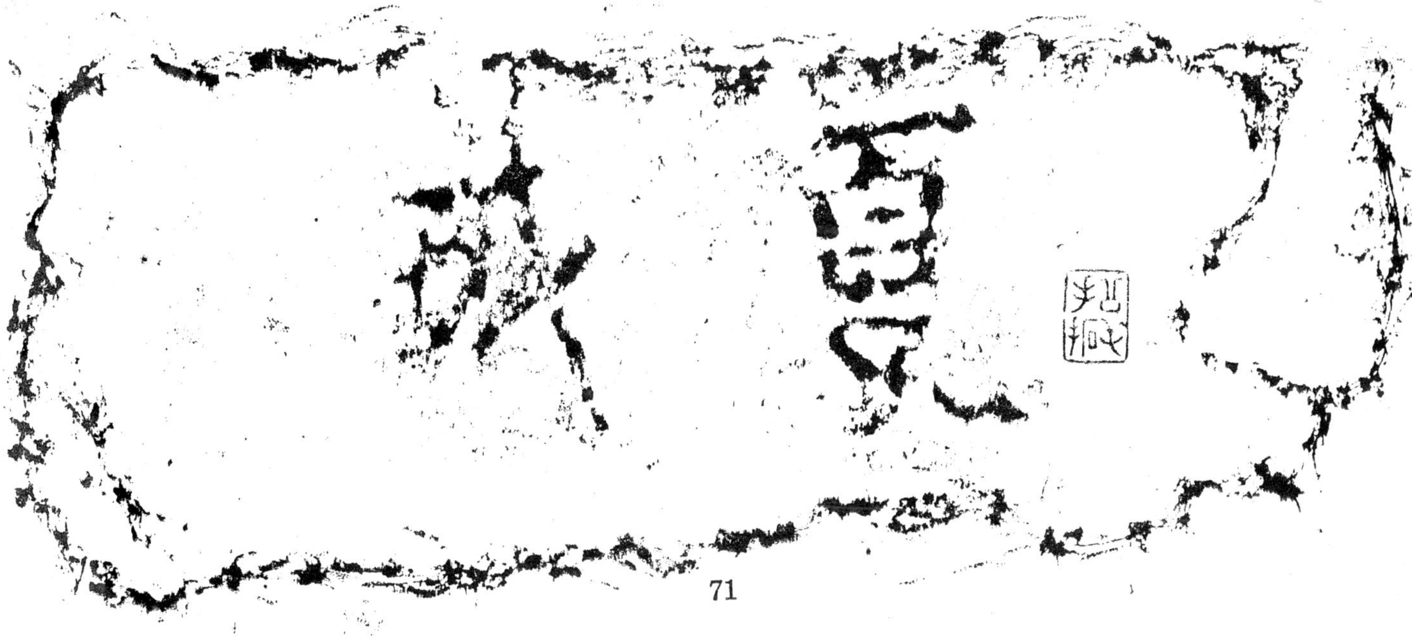

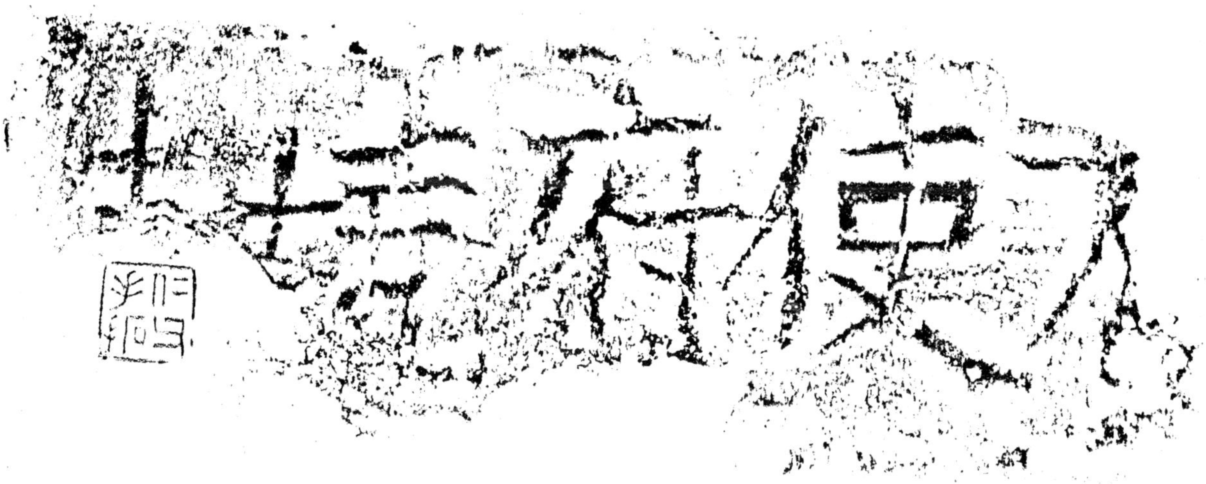

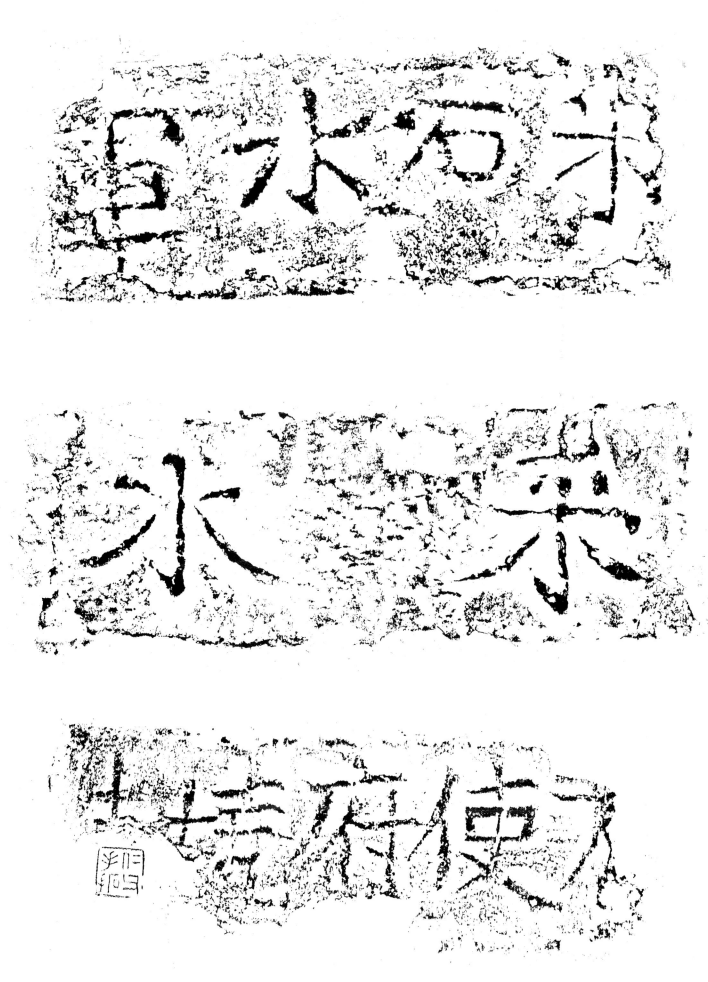

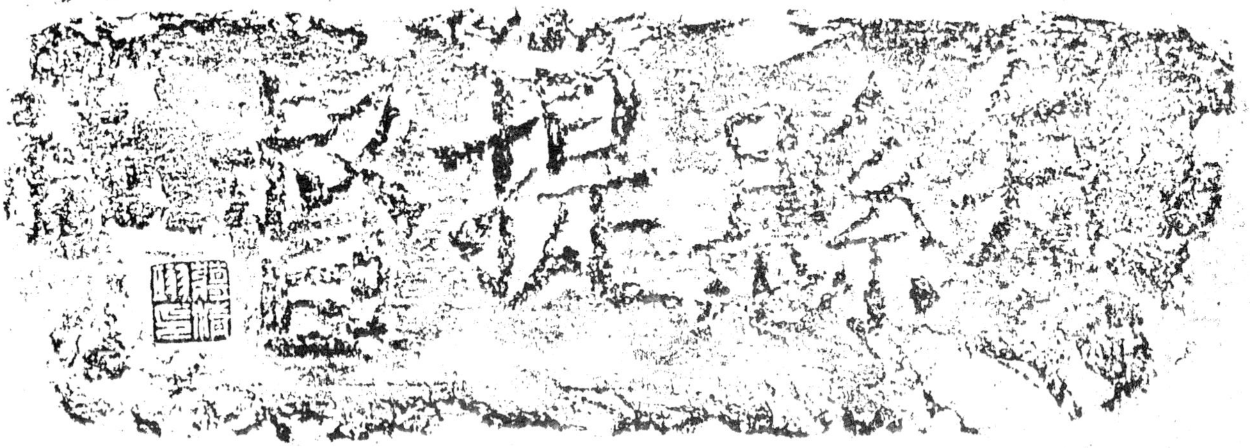

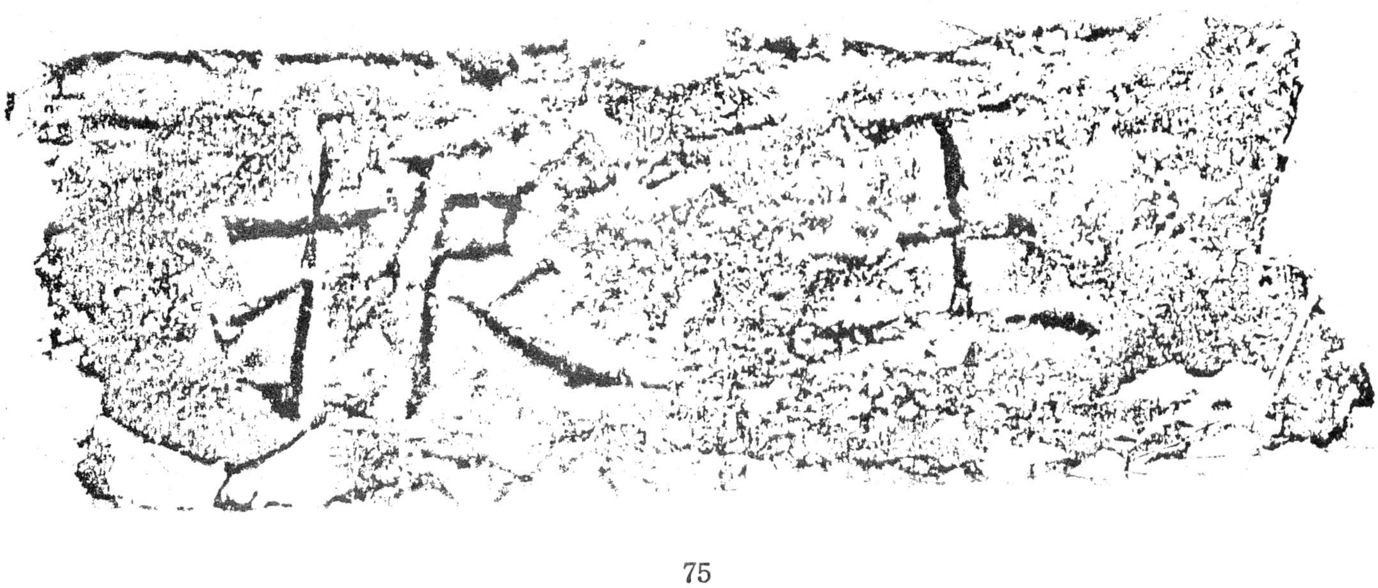

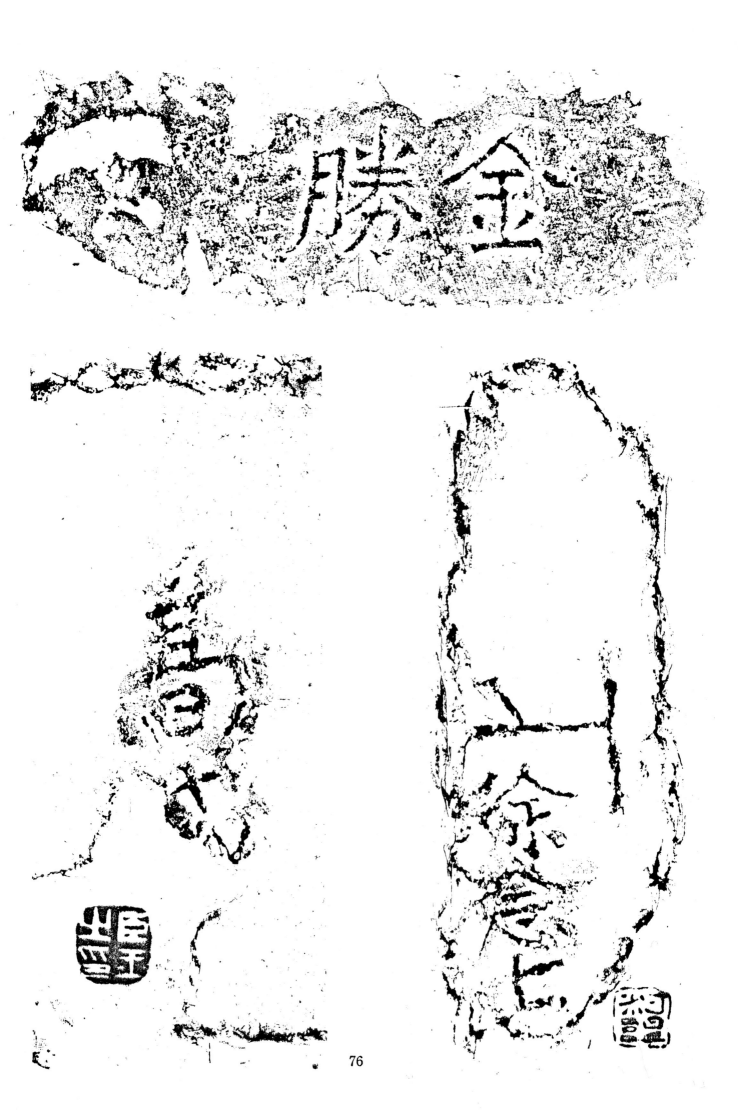

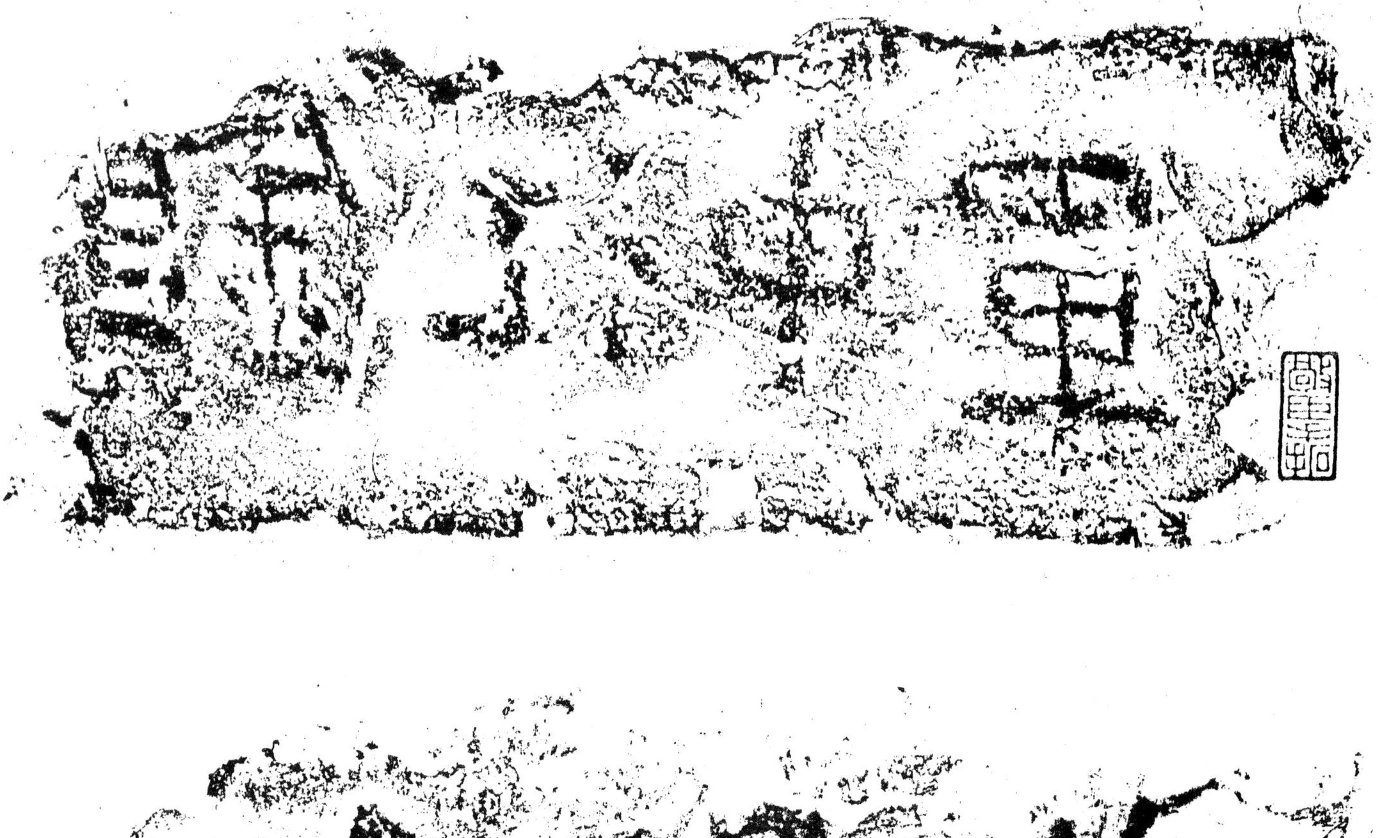

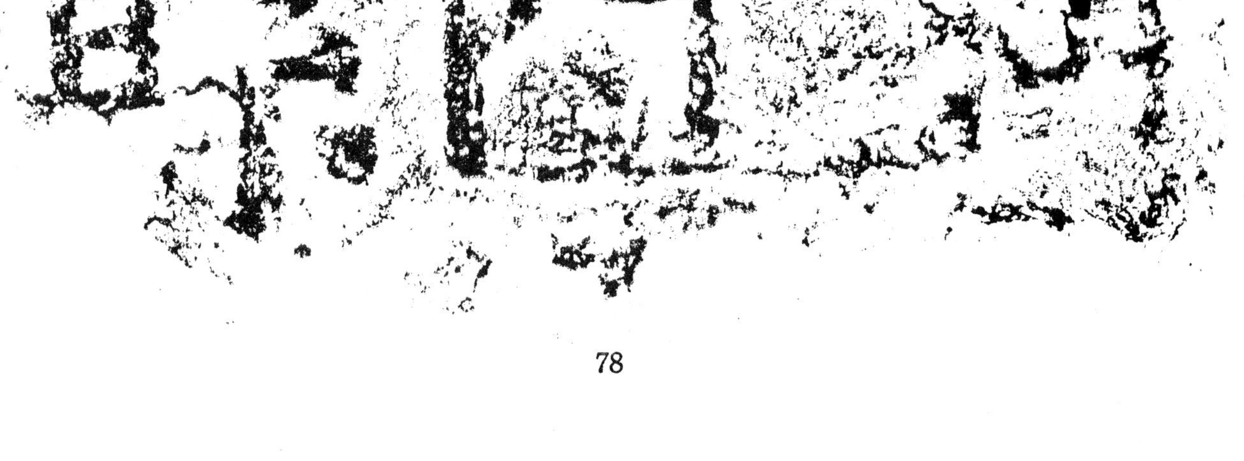

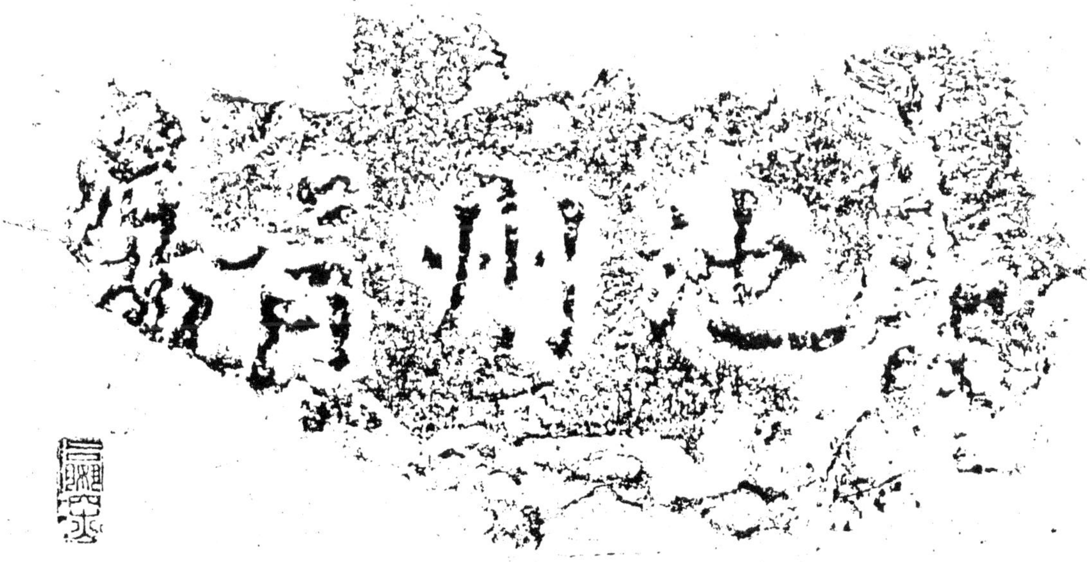

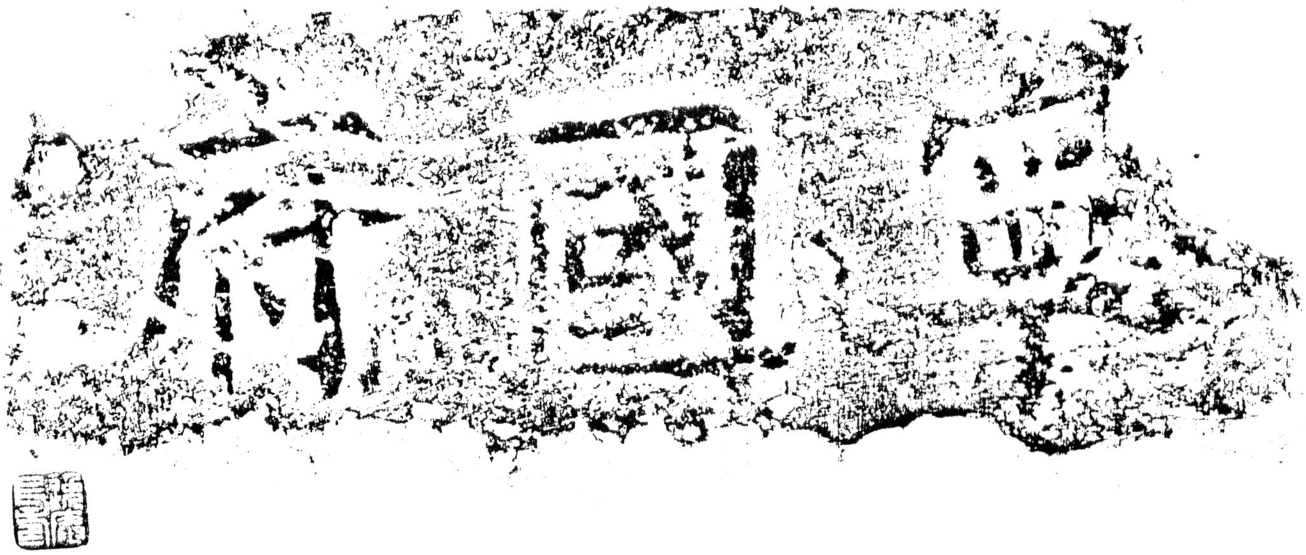

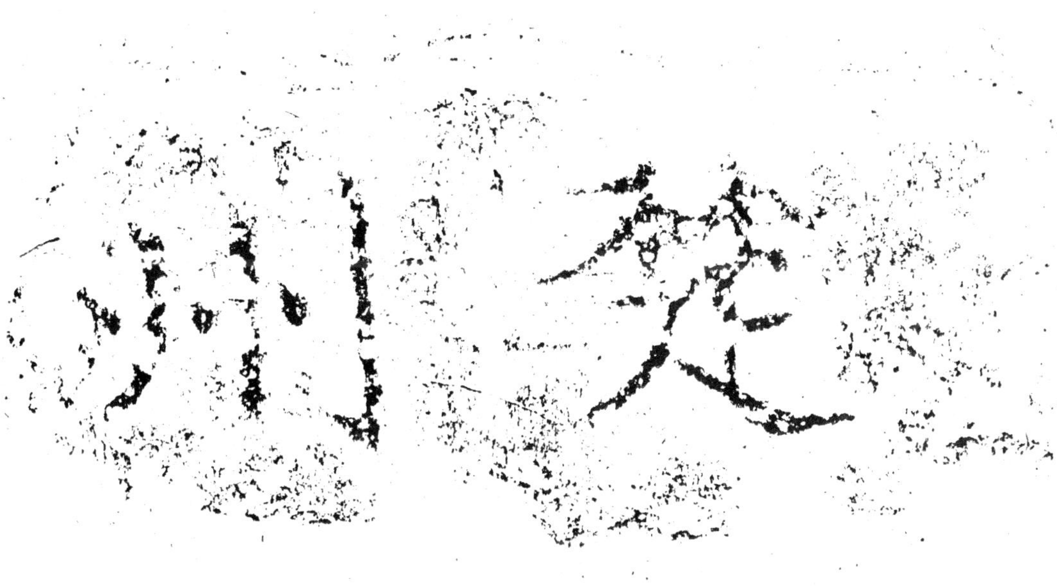

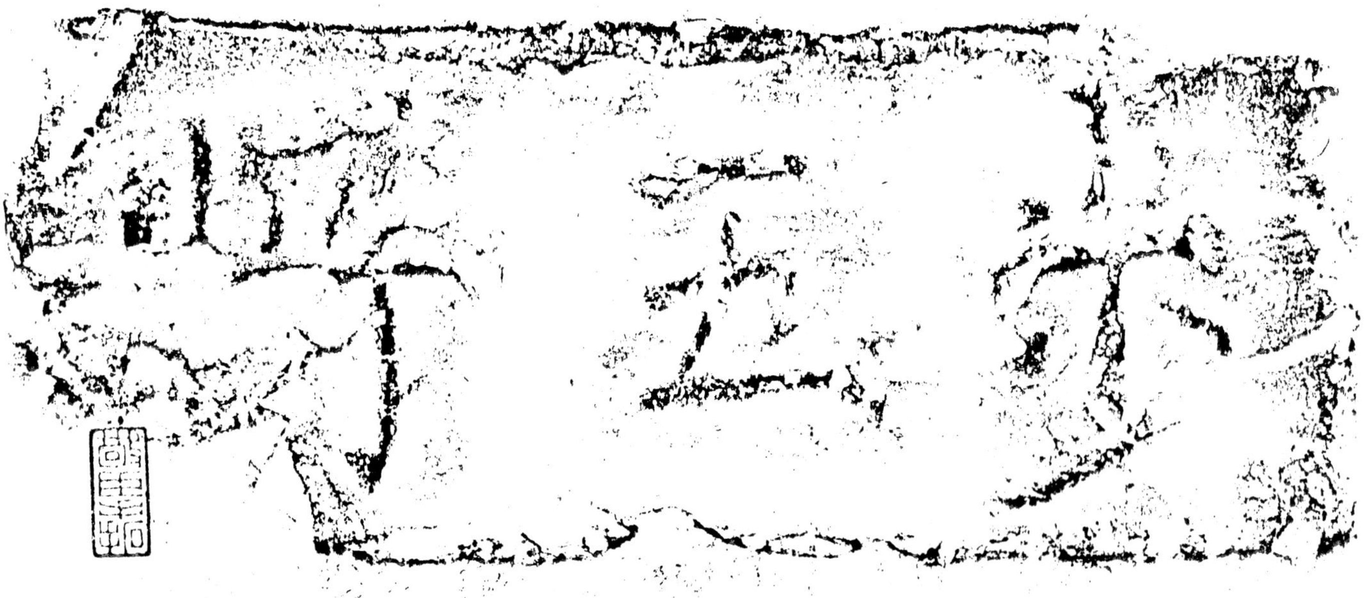

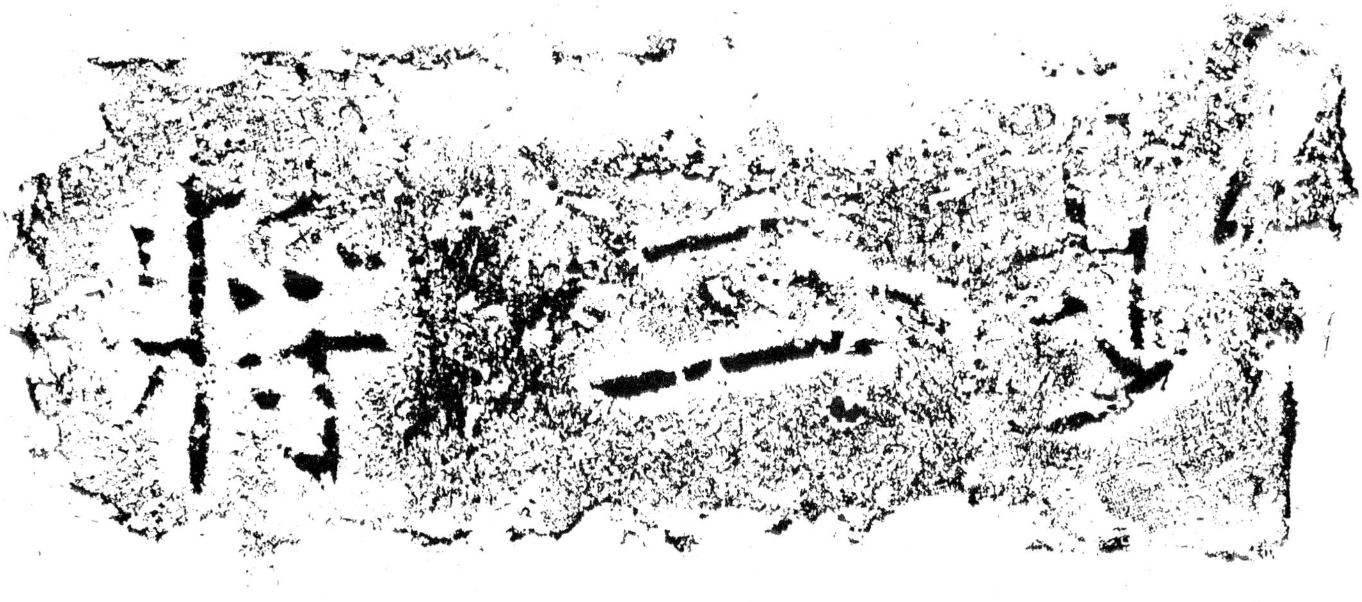

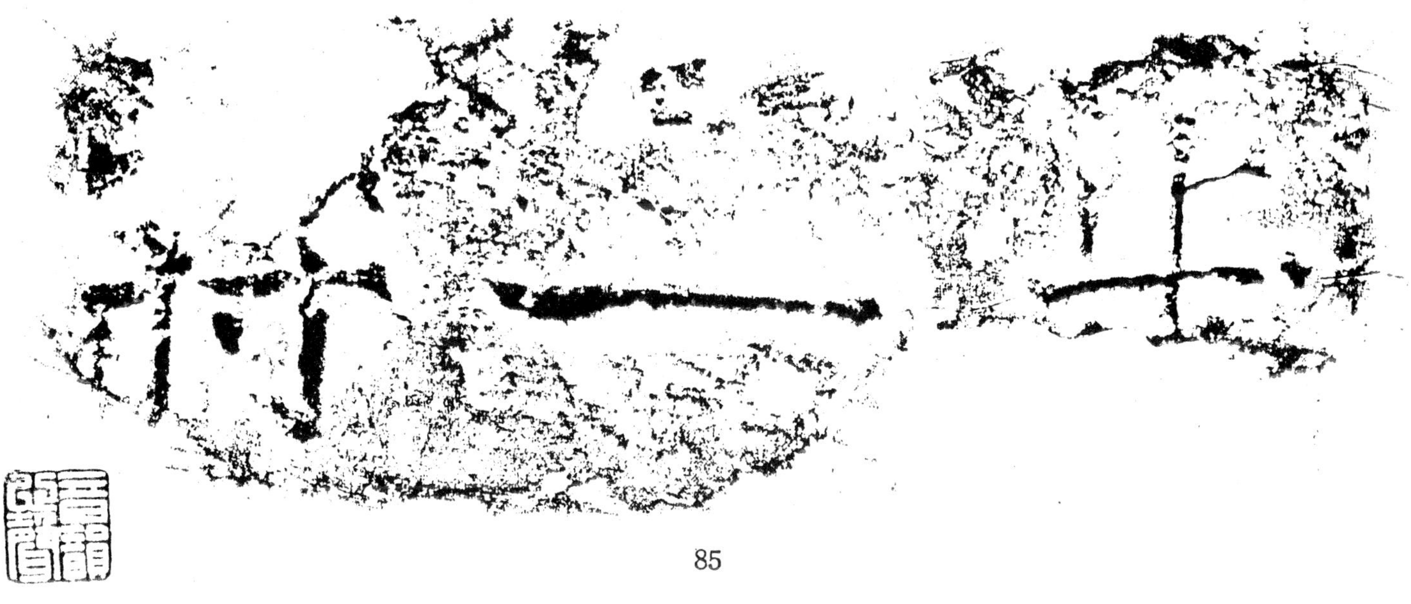

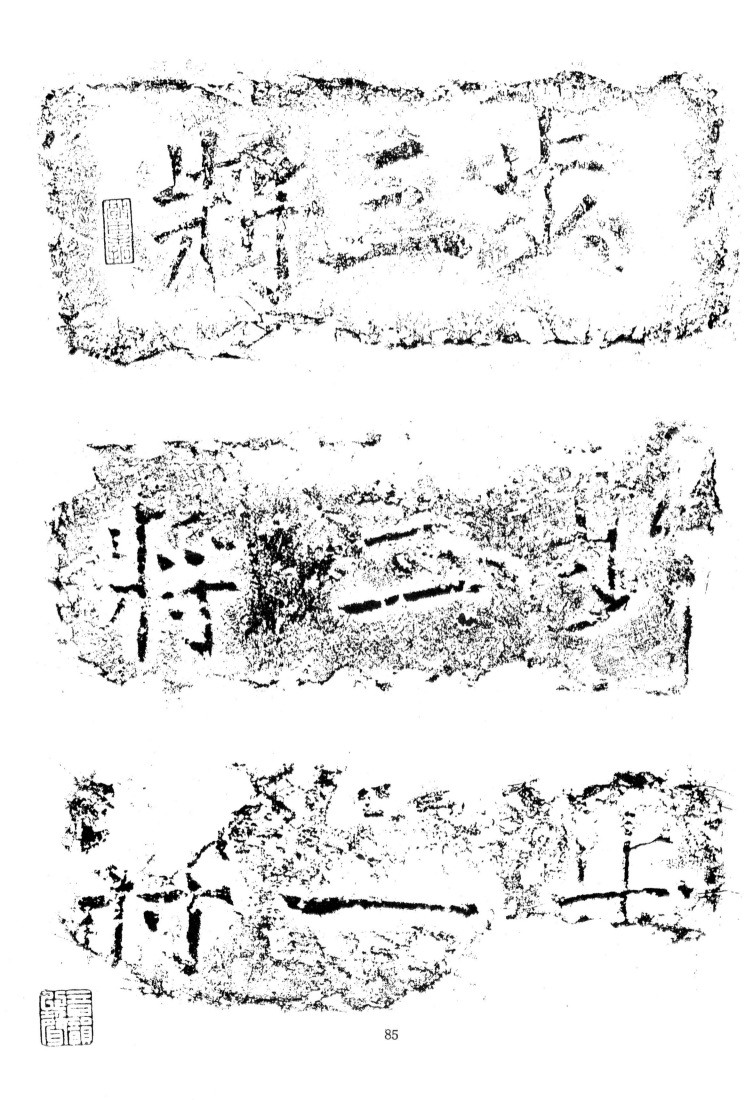

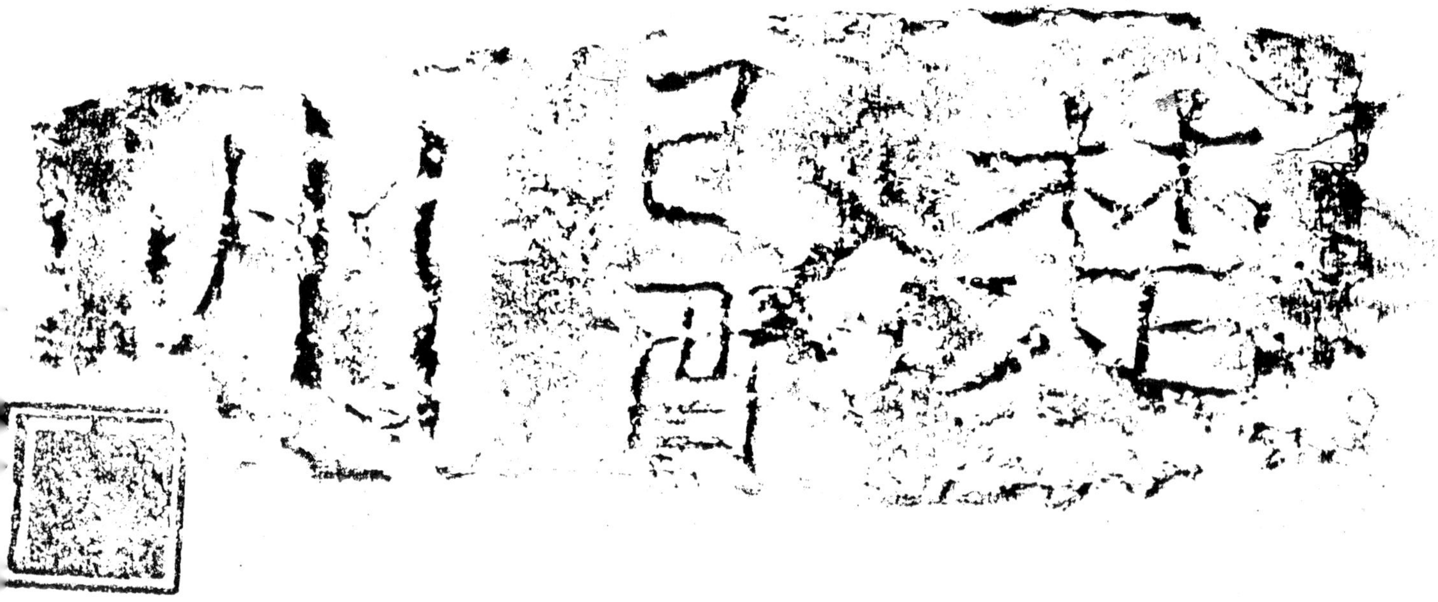

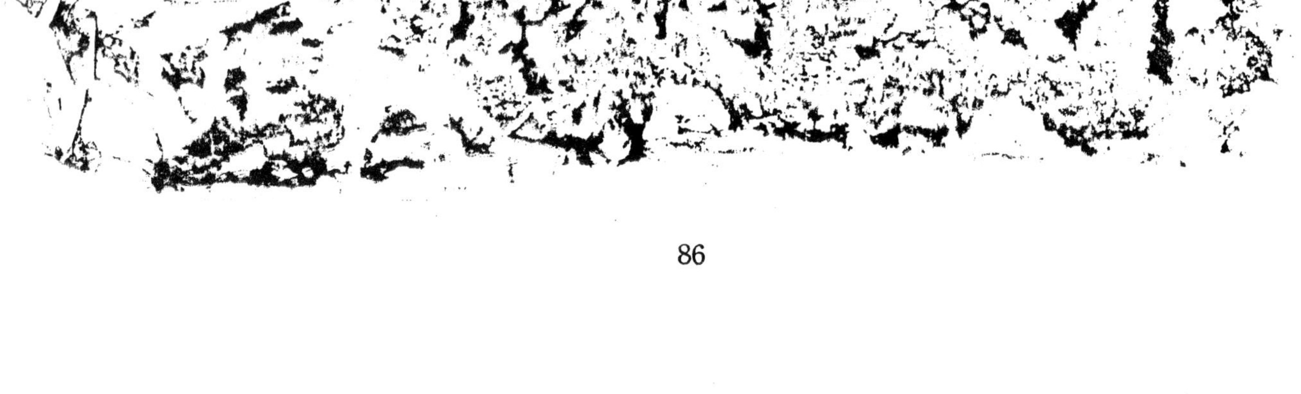

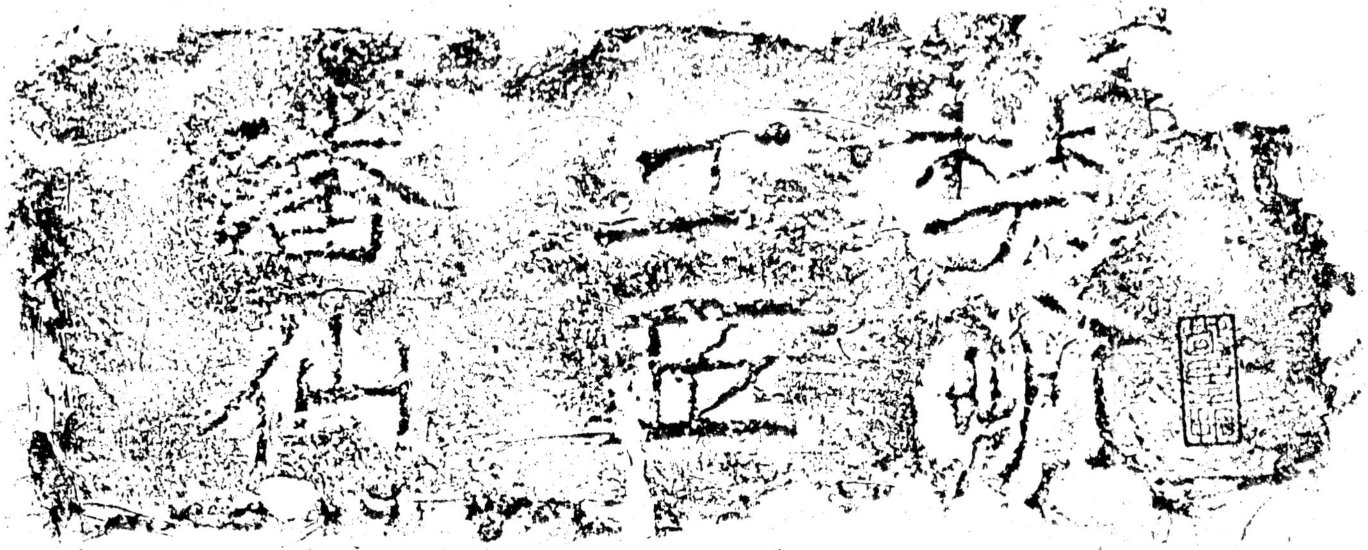

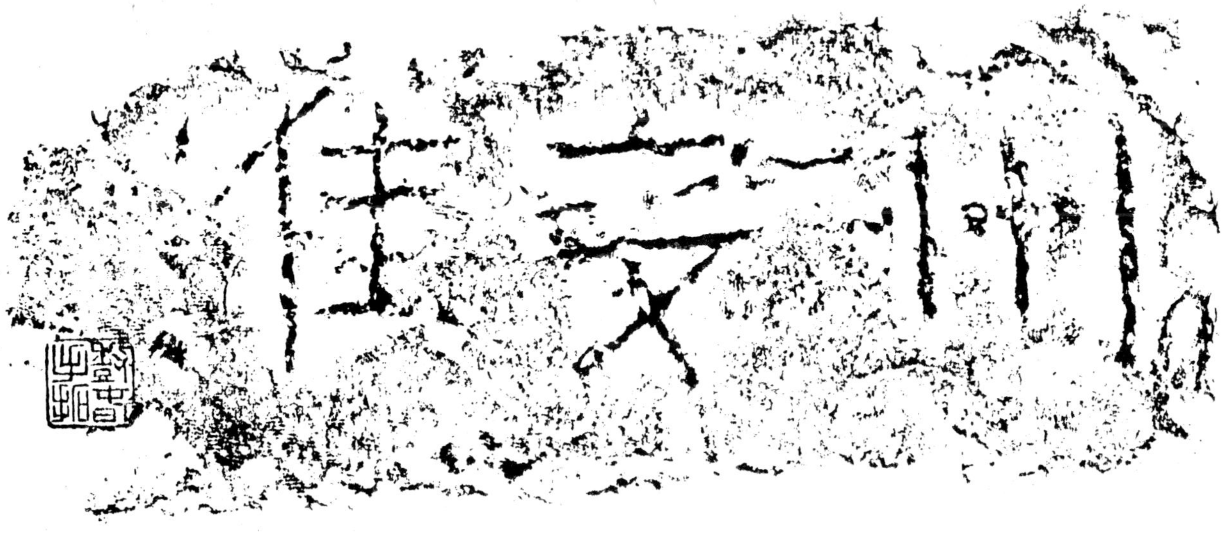

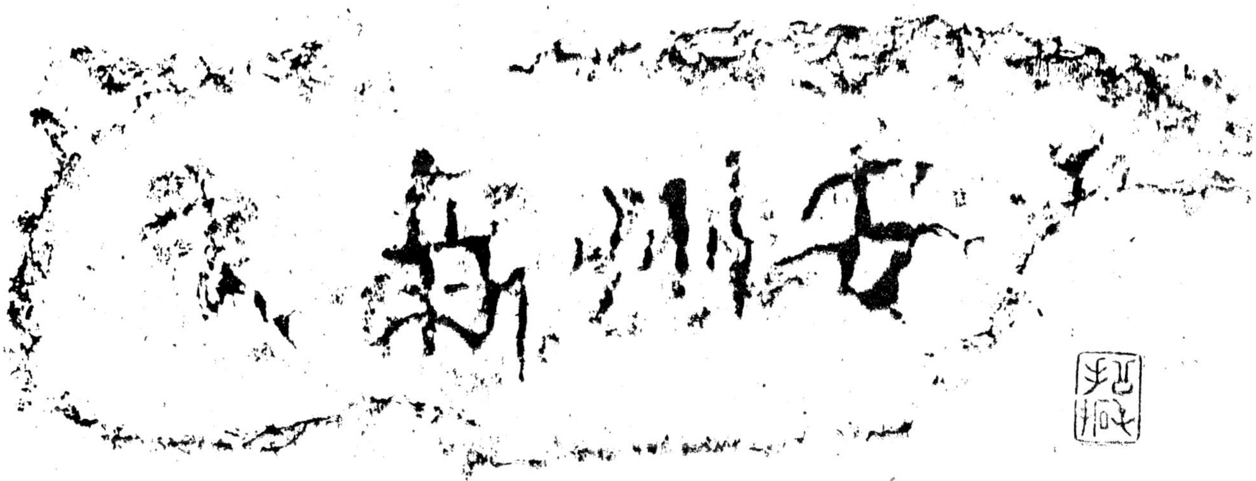

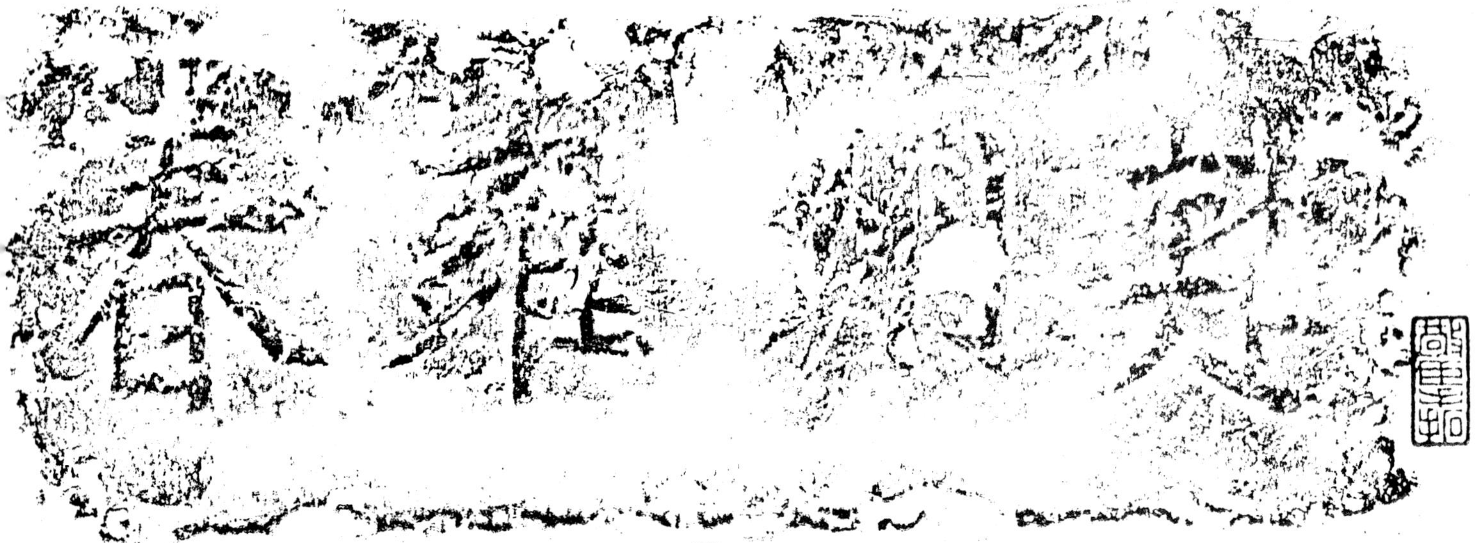

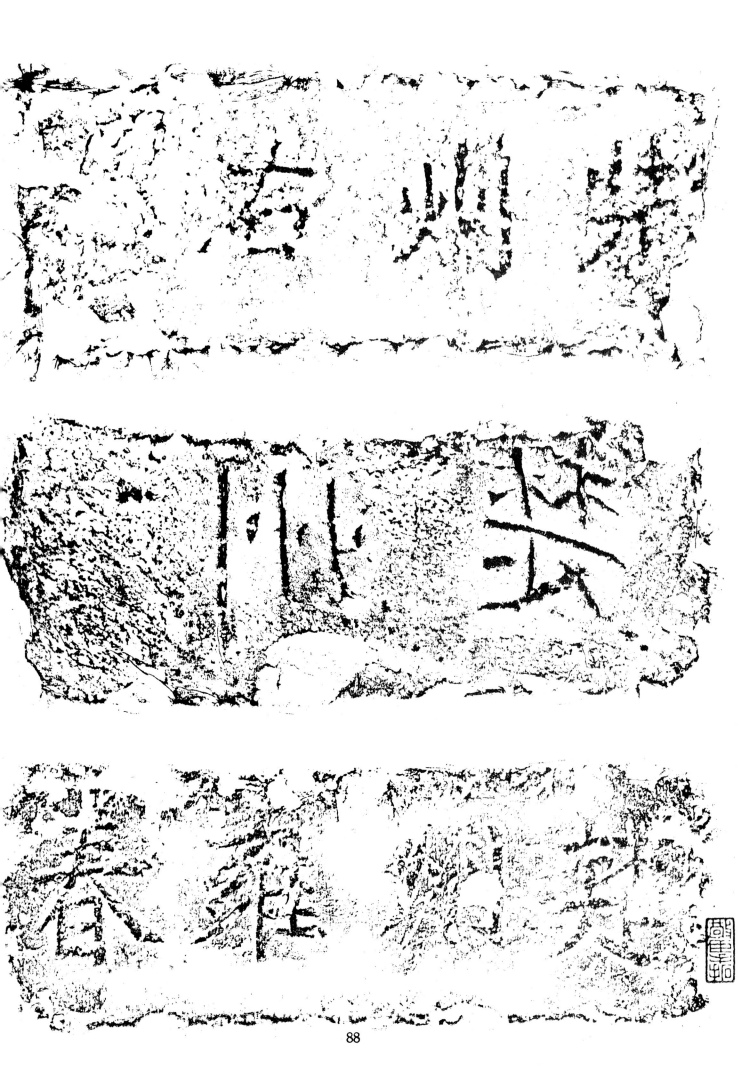

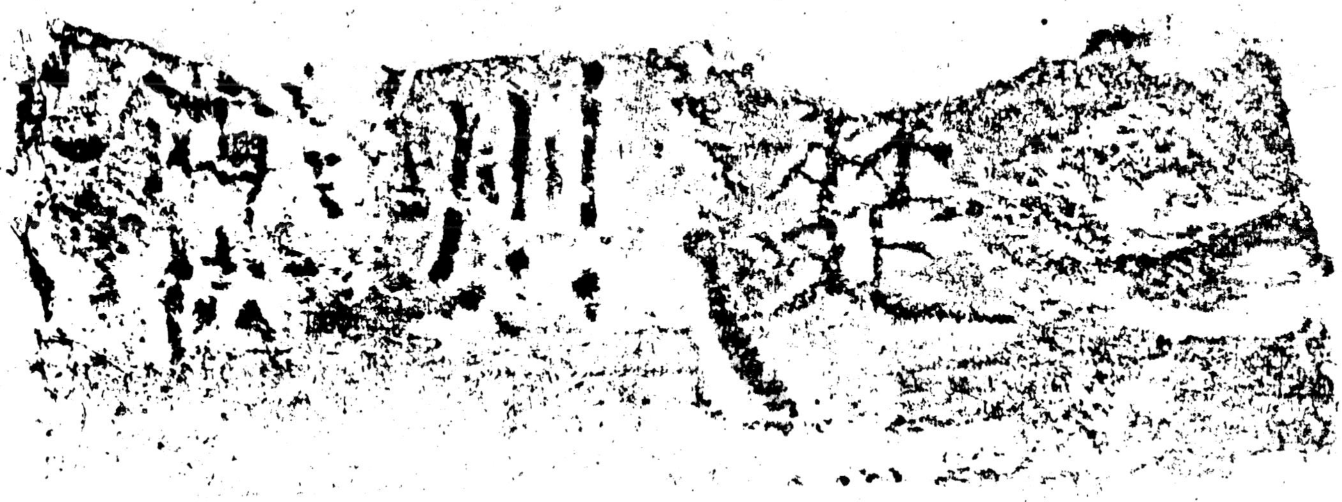

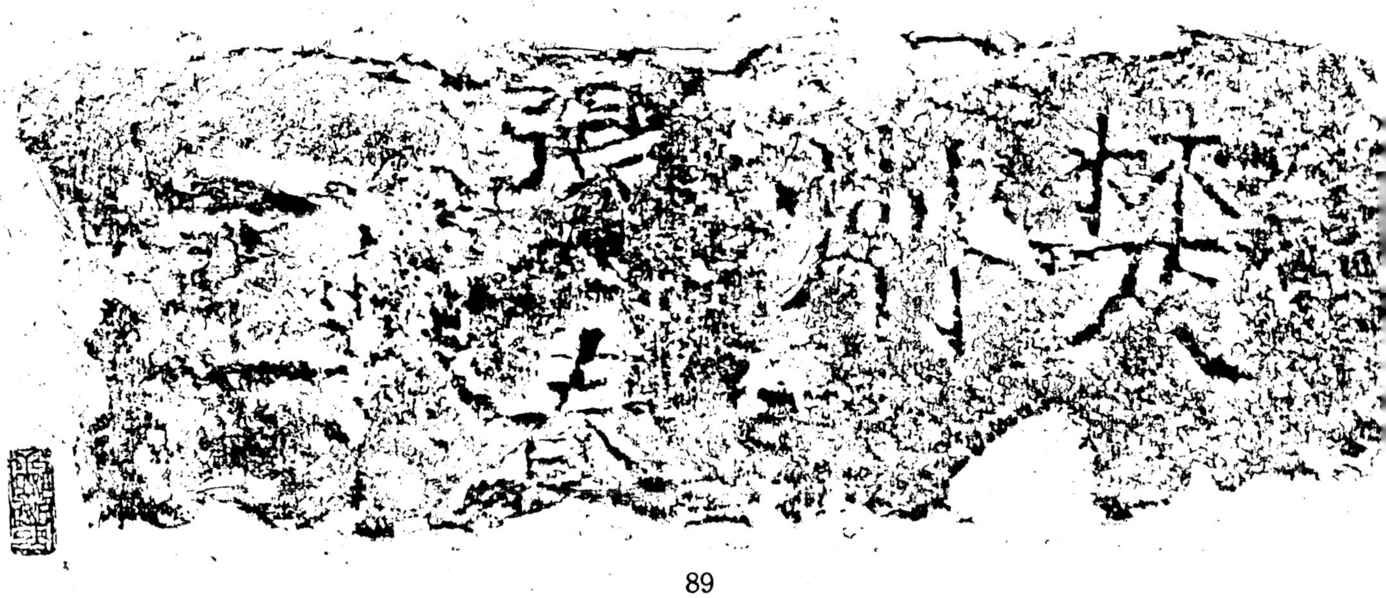

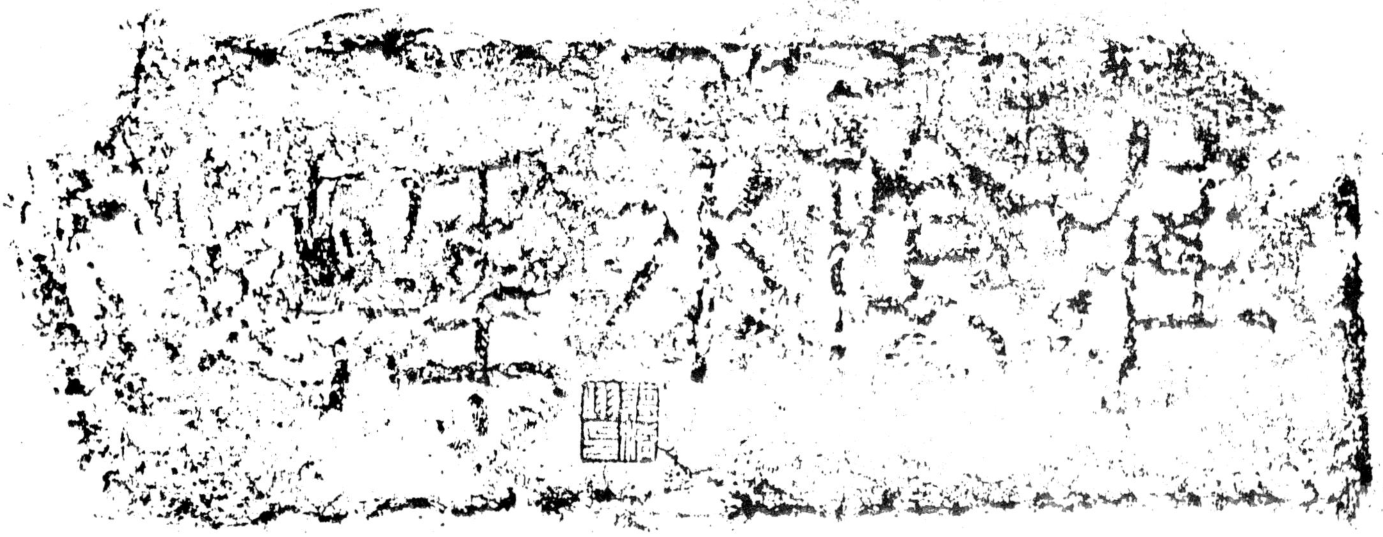

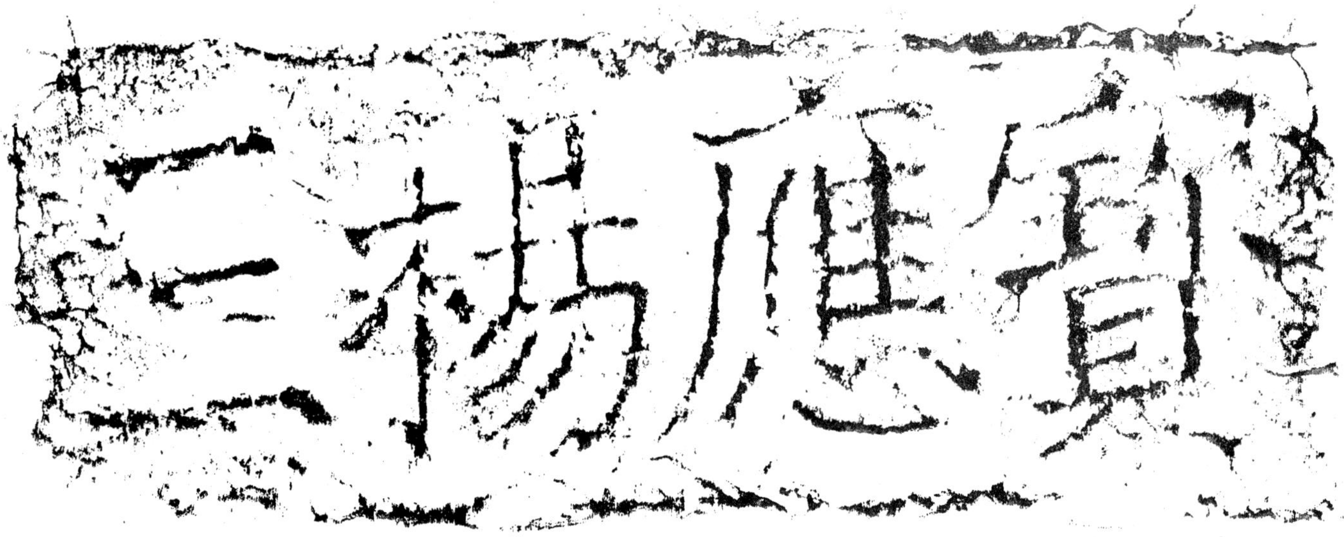

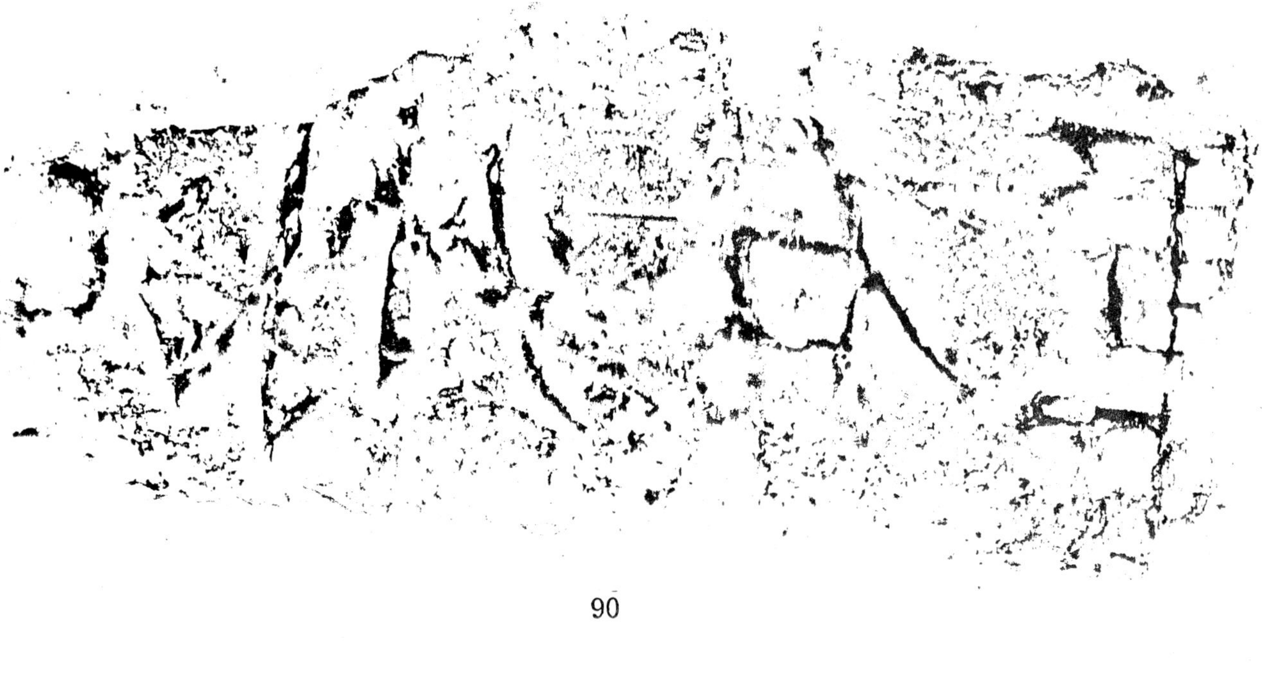

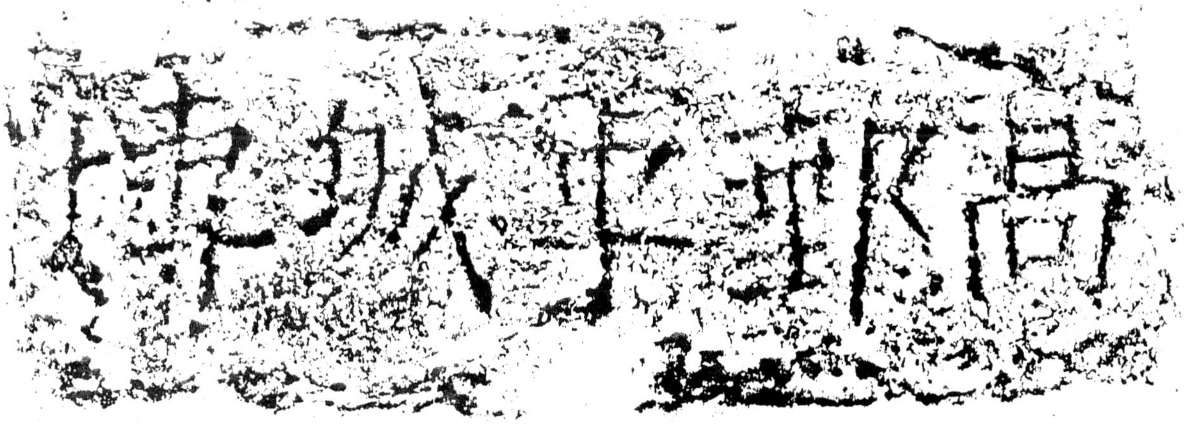

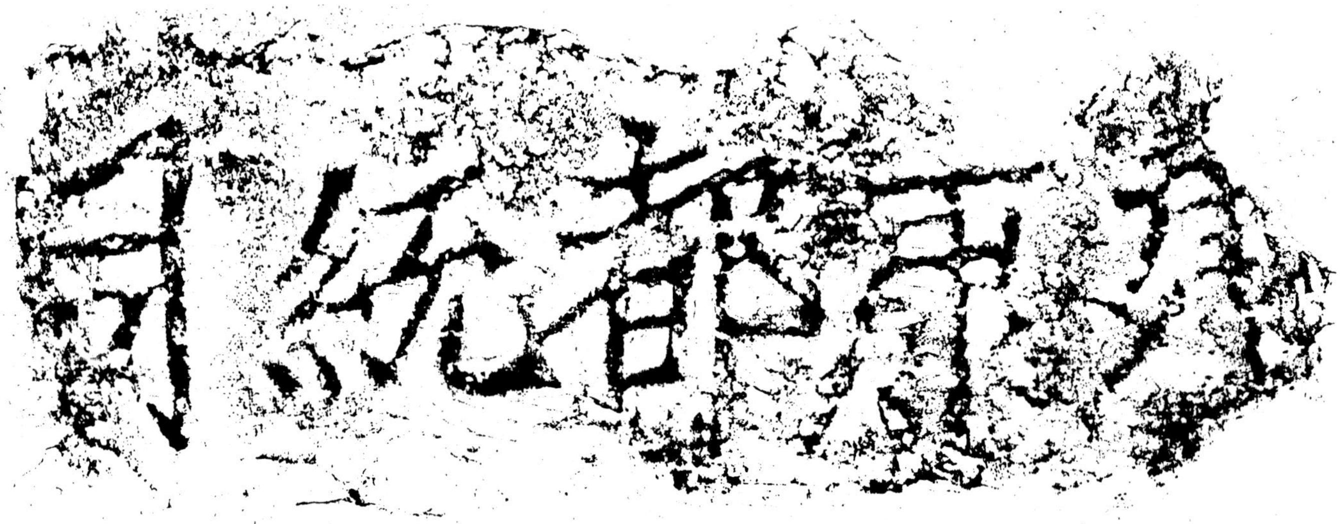

楚州在昔兵家地險要由來多
置軍想見堅城矣石迹殘磚
猶帶戰場雲
淮泗連營據要衝森巖壁壘
護江東今從海外觀遺拓猶想

張韓傑賡功

逸安先生出示　先德所藏楚州宋磚拓本古

雅無倫輒書兩絕請　正

壬申夏六月下澣賡山李猷題識

珍藏者・類次者小檔案

中華民國第一屆國民大會代表主席團主席蔣一安博士，學名炤祖，以字行。晚年別號松嶺逸叟。原籍江蘇吳縣，一九一四年誕生於淮安，遂寄籍於此。其先曾祖錫寶公進士及第，任淮安府學教諭，以其地民風淳樸，有意定居。及先祖父清翊公仕宦退隱，方遷居焉。建「抱布新築」於東門蘆葦間。庋藏書籍萬卷，古幣古董千餘件。在此新築中撰述「唐初四傑集註」及他項著作十餘種。先生自幼浸潤固有文化，奠定作大事、學鴻儒、育英才，繼絕學之懷抱與風範。

年二十負笈上海大夏大學教育學院，畢業之時，適逢蘆溝戰役，隨政府西遷。先之粵湘，再徙四川。從事省政、縣政多年。後應國立江蘇醫學院之聘，執教席暨訓導，是爲先生學以致用，從事教育文化之始。大陸撤守，浮桴臺灣，初協助辦水產職業教育，繼協籌海事專校，旋即執教於海專、海院垂三十餘年，方始轉任私立中國文化大學華岡（研究）教授。同時兼任國立師範大學三民主義研究所，國立政治大學教育研究所、私立淡江大學合作經濟系教授。直至七九高齡仍執文大教席。每登講壇，滔滔若江河東流，精力充沛，體格健朗，叩其養生之道，笑曰：「無何妙方，不戕害天賦而已！」其生活嚴謹，可從此語中窺知。

先生教學，重視方法。擅長能近取譬，深入淺出，食而能化，化而爲用。以實際配合理論，以理論驗證實際；尤嗜將教育與生活打成一片。所謂「教育即生活，生活即教育。」無緣侍立門牆者，安能知其眞實涵義哉！

先生從事學術研究，亦有此風格與理念。認爲：學術研究須與社會實踐相結合，否則，空洞無益，虛幻有害。倘社會實踐未能與學術研究相結合，則是盲目冒進，危險堪虞。先生指出：學術研究目的，一律歸結於民生福祉、民族利益、民主生活。其執着於實踐哲學，不肯將哲學帶進虛幻境界，頗受淑世主義之影響。將深奧哲理着落於平實化、實踐化、生活化，也就是將哲學平民化、大眾化，使得人人都可接受哲學洗禮，以提高社會素質，人民素養。講授及寫作四十年教育哲學、三民主義哲學、宗教哲學，一本此觀念，侃侃而論，邕遂而寫，羣眾聽來，如搭雲梯入寶山，從無空手而回者。

在哲學方面，著有「本體思想史綱」（商務出版），「國父哲學思想論」（商務），「中山哲學論集」（海洋學院），「中山學術論集」（正中書局），近年編撰「孫學闡微」鉅構，由黎明文化事業公司出版。

先生對孫文主義付出四十年精力，深入研求，多所闡發，完成有關著作十餘種。并負責大中學校三民主義教育與教學的規劃與推廣，傳播與指導任務。更編撰大專院校有關教科用書。對國內最高學府思想教育之貢獻，難以數字表達。其最受稱道者，對此長期工作，義工義行，安之若素。是以其榮獲三民主義學術著作獎三次，專題研究獎二次，專科教科書著作獎一次，優良教學獎一次。實至名歸，誰曰不宜。

先生精研唐韻，將家藏國寶級唐人手寫本，唐韻殘卷，補其闕，刊其謬，撰成「蔣本唐韻刊謬補闕」巨構，都二千餘頁，由廣文書局出版。此書問世，完成繼絕學之讀書人天賦使命，引爲畢生一大快事。獲得嘉新水泥公司學術基金會頒授優良學術著作獎。

先生苦習詩學，頗有成就。著有風雨樓詩集含入蜀吟、浮海吟兩卷；，曼殊詩與擬曼殊詩兩卷（兩詩集均由商務出版）三原于右任評爲必傳之作，更曰「詩學革命，得見曙光。」高要梁寒操指出先生詩「厭摹古語作艱深」，最合時宜。題詩有「心聲要克鳴斯世，不事雕鐫定必傳。」其第四首，則有「宇宙彌綸是一情，情能无僞筆能橫。荒唐儘讓旁人笑，掉臂從容大道行」。在詩學界，聲譽崇隆，獲有銀龍獎、詩教獎，被尊爲詩伯，得侍立於詩聖于右老之側。

先生於六十五歲後，雅好方志學，除翻印故鄉之「淮安縣志」、「淮安藝文志」外，并編著「淮安釆風錄」，均係自費出版。免費贈閱。近正續編「淮安釆風錄」，欣見其即將定稿問世。

美國聯合大學以先生學術研究，頗多非凡成就，尤以對聲韻學中之唐韻著作，有興廢繼絕之功，乃頒授榮譽文學博士。名山事業，獲得推崇，益增光輝，堪以稱慶。

先生於三十四歲時，鄉人促請參選淮安地區國民大會代表，但在鄉黨序齒、序輩倫常觀念下，自願禮讓先進，謙任候補。至五十八歲時，方始依法補實，進登議壇，盡職守分，奮勉從公。草擬方案，發表政見，獻可替否，亟受尊重。歷任憲法憲政、教育文化兩委員會召集人、編纂委員及主席團主席十九年之久，領導才能，深得佳評。屢獲中國國民黨獎狀及光華勳獎。任內言論，輯爲「逸庵論政」一書，都六十萬言。

先生信神不信教，嘗謂信神則精神有主，不信教則思想自由，不受教義束縛，與友人創組宗教哲學研究社，擔任常務理事十有餘年，研習各家宗教哲學，頗多心得。經常講演，各教派人士齊集聆聽其說道。尤以「透過宗教大同進入世界大同」的理論，最受歡迎，視爲共同奮鬥目標。友人靜觀其思想言行，認爲先生雖信神不信教，但七十五歲以後，似漸偏向於佛，此正中國儒者之之常態也。

先生畢生執着於中庸之道，一思一維，一言一行。爲學做事，堅守不踰。訊其事業成功之道，答曰：「無他，堅守中庸而已矣！」其七九生日詩中有：

一陰一陽斯爲道，安行安止唯其時；

役心役物能明辨，隨與隨緣任所之。

詩中最能看出先生持中庸不移之精神。

錄自亞洲文學出版社「當代大陸旅臺菁英錄」

珍藏者著述年表初稿

著述名稱	出版年月	出版單位	備註
風雨樓詩集入蜀吟、浮海吟兩卷	民國45.年元月出版 62.年二月二版納入人人文庫	臺灣商務印書館	是年丙申著述者四十二歲
曇殊詩與擬曇殊詩兩卷	民國54.年十二月出版 62.年十二月二版納入人人文庫	臺灣商務印書館	
本體思想史綱	民國55.年六月出版 62.年二版納入人人文庫	臺灣商務圖書館	
國父哲學思想論	民國55.年二月出版 61.年二月二版 69.年二月增訂版	臺灣商務印書館	初版榮獲國父遺教會學術著作獎。增訂本榮獲教育部最高三民主義學術獎。
大學國父思想論教本	民國57.年九月出版 81.年八月九版	國立海洋大學三民主義研究中心	
國父科學思想論	民國59.年八月出版	臺灣商務印書館	
三民主義析論	民國62.年一月出版 63.年十一月二版人人文庫	臺灣商務印書館	
三民主義專論	民國62.年二月出版	國立海洋學院三民主義研究中心	
蔣本唐韻刊謬補闕	民國62.年十月出版	廣文書局	榮獲嘉新水泥公司優良著作獎
我們的主義	民國66.年二月出版	中華日報長篇連載單行本	榮獲中正學術基金會優良著作獎
大學國父思想教本	民國67.年九月出版 71.年九月修訂版 81.年九月十二版	幼獅文化事業公司	

國父科學宇宙觀	民國69.年六月出版	正中書局	
中山哲學論集	民國70.年二月出版 72.年二月增訂版	國立海洋學院三民主義研究中心	
淮安縣志醾資編印	民國70.年五月出版	維新書局	免費贈送
淮安藝文志醾資編印	民國70.年五月出版	維新書局	免費贈送
專科學校國父思想教科書	民國72.年十月出版	正中書局	榮獲教育部專科學校優良教科書著作獎
大學國父思想教本	民國73.年八月出版 81.年九月九版	中國文化大學出版部	
中山學術論文集上下兩册	民國75.年十一月出版	正中書局	
淮安釆風錄與邵育雲合編著	民國78.年三月出版	維新書局	
淮安釆風錄續集與邵育雲合編著	（正編著中）		
三代吉金・漢唐樂石拓存	民國82.年一月出版	文史哲出版社	
古印窺・楚州宋專拓本	民國82.年一月出版	文史哲出版社	
孫學闡微	民國82.年元月出版	黎明文化事業公司	是年癸酉著述者八十歲
革命思想雜誌	民國69.年七月發行 到77.年十二月	革命思想雜誌社	發行八年十六卷
憲政論壇雜誌	民國76.年一月發行 到80.年六月	憲政論壇雜誌社	發行四年半五卷
學術論文單行本，演講辭單行本暫未列入			

中國文化大學中山學術研究所
國民大會秘書處資料組　提供

壬申三月初旬七九生辰得
六韻其時方由國民大會代表
任內退職雖有歸隱林園之思
難掩關懷社群之情
松嶺逸叟蔣一安

四朵白雲称壽相
窮經皓首是書呆
文章報國中興事
入暮悄然度信衷
一陰一陽斯謂道
安行安心唯其時

從心從物能所辨
隨興隨緣任所之
足乎己勿待於外
能致良知是謂明
散髮披衣歸去也
民生社福總關懷
一觴醇釀酬風月
孤鶴冥飛有道骨
俯察仰觀運思維

無聲霜露侵華髮
詞客身如不繫船
陸沉亡命到臺員
匡時淑世持中道
七十從心八聽天
私戀毋隨外物遷
取捨義利豈能偏
酸辛苦澀俱嚐徧
未享人間一分甜

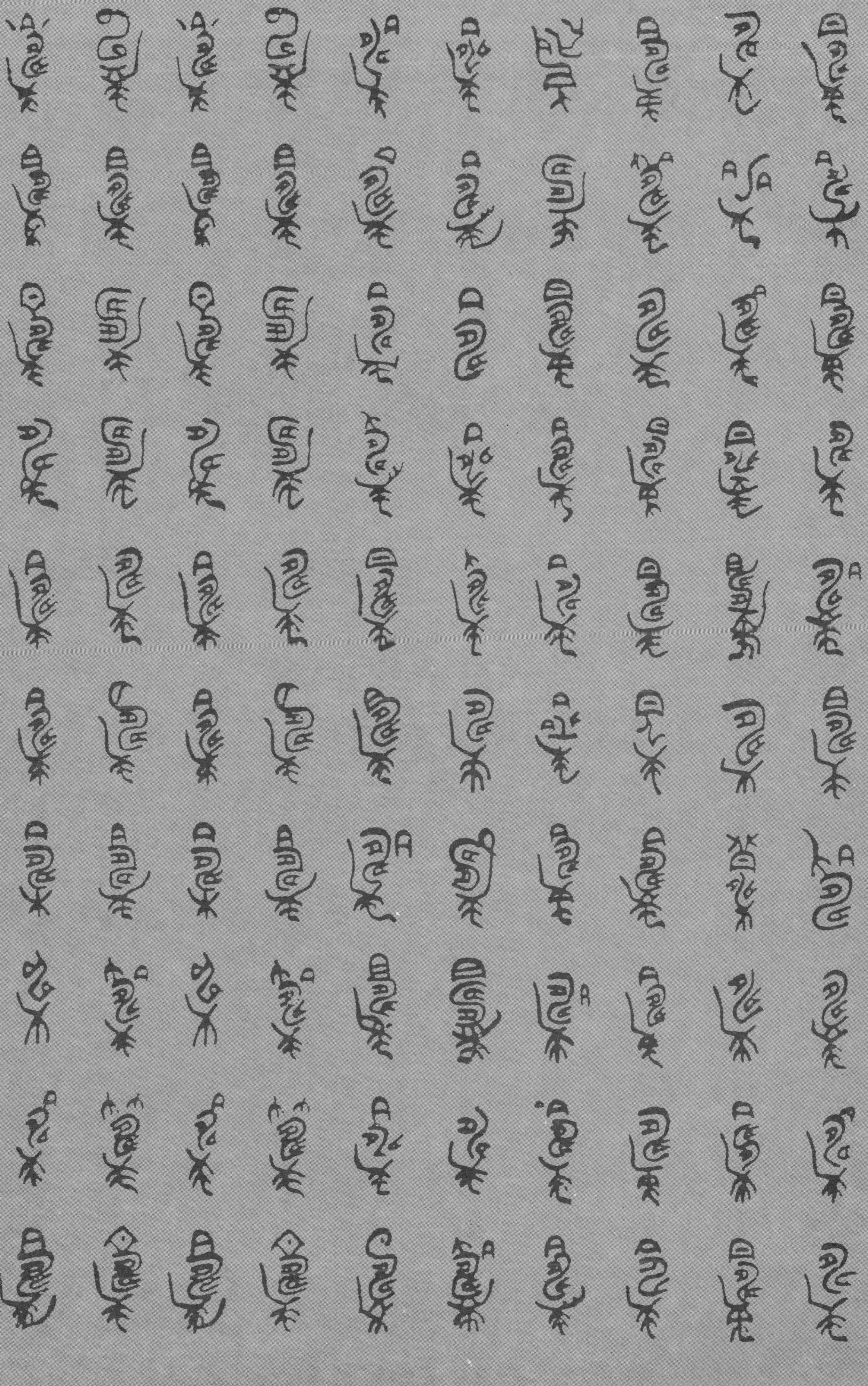

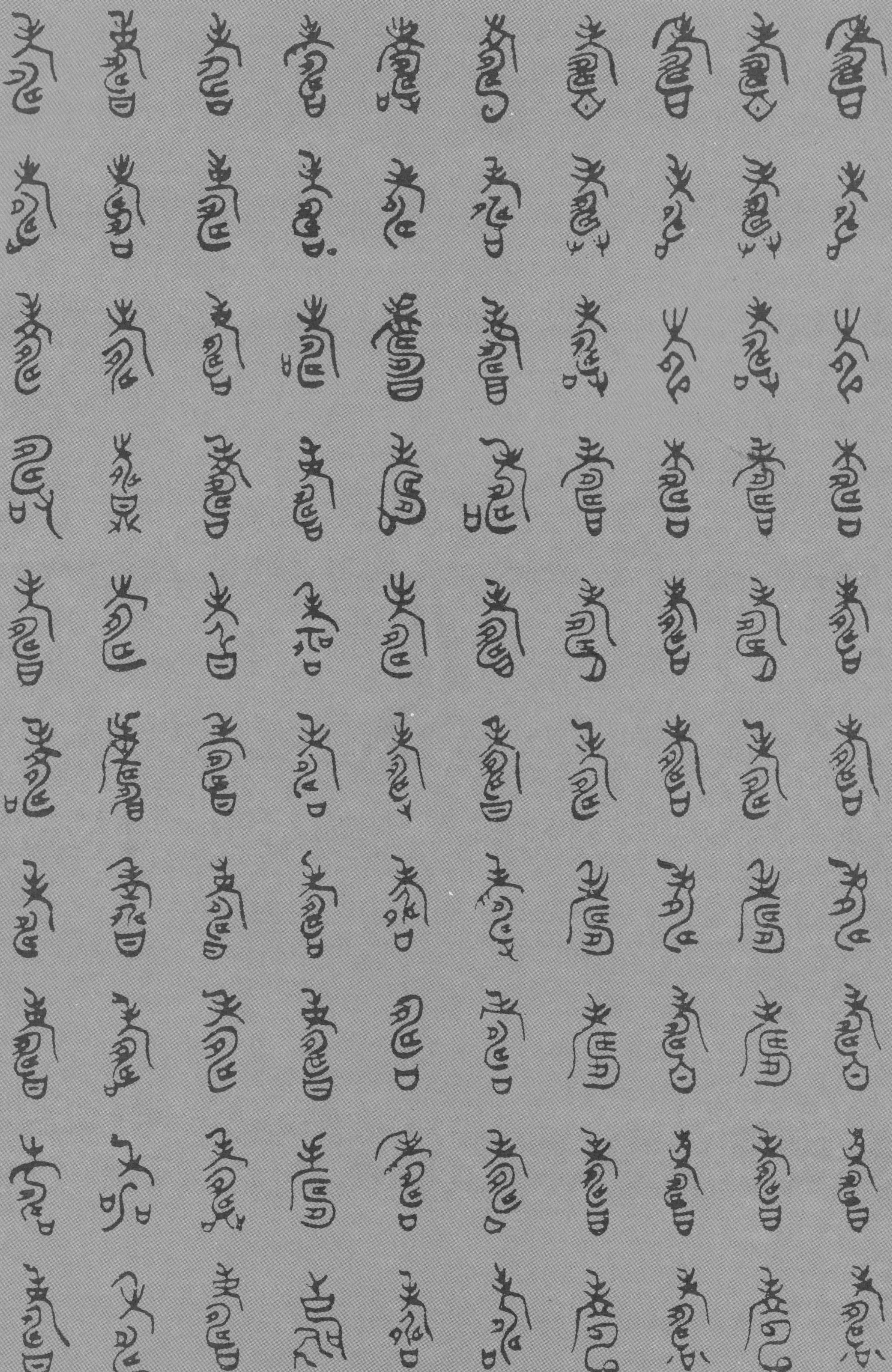